Spiegelschrift

D0714204

ISBN 978-94-90708-17-7
NUR 301

Uitgeverij Skandalon
postbus 138
5260 AC Vught
e-mail: info@skandalon.nl
www.skandalon.nl

omslagontwerp en vormgeving: circe

© 2011 Skandalon

TEUN VAN DER LINDEN

Spiegelschrift

Ideeënroman

SKANDALON
NON NOBIS SED POSTERIS

Wat opmerkelijk is aan de mens is niet dat hij wanhoopt,
maar dat hij zijn wanhoop overwint of vergeet.

ALBERT CAMUS

Inhoud

Amor fati

De orde waarmee deze woorden in het gelid staan, berust op schijn. De orde in dit schrift is, zoals de meeste orde in het leven, omgeven door wanorde. Wanorde is onvermijdelijk. Dat hoef je mij niet te vertellen. Maar wat onvermijdelijk is, hoeft nog niet noodlottig te zijn.

Vroeg in ochtend, als het hier stil is en de hazen nog over de velden springen, werk ik geduldig aan mijn tafeltje bij het raam, gehuld in mijn kamerjas die kleurig afsteekt tegen de witte muren en een herinnering vormt aan thuis. Schrijvend en nadenkend probeer ik grip te krijgen op mijn gedachten en op alle gebeurtenissen van de afgelopen tijd. Ik zal ermee doorgaan totdat de orde hersteld is en de mist in mijn hoofd opgetrokken zal zijn. Eigenlijk mag ik maar twee uur per dag werken. Ik voeg daar 's ochtends vroeg zonder dat iemand het merkt een paar uur extra aan toe. Ik wil niet morsen met de tijd die nodig is om mijzelf te hervinden.

Wanorde kan de kiem van een nieuwe orde in zich dragen. Zo is het toch? De wanorde die zich in ons leven manifesteert, sluipend en ongemerkt of plotseling en abrupt, zodat wij onze adem inhouden en onze radeloosheid nauwelijks de baas zijn, *kan* ook een vorm van kracht in zich dragen, van ruwe oerkracht. Zoals diamant ontstaat uit alledaagse koolstof onder grote druk en hitte, diep in de aarde, kan zo de trivialiteit van ons alledaagse leven niet óók iets bijzonders voortbrengen? Kunnen een zee aan tranen en een berg aan treurnis iets goeds baren, een nieuwe kijk op het leven, toekomst, perspectief?

Het dagelijkse leven dwingt ons het ongerijmde te integreren. Kan men hier ook opzettelijk mee bezig zijn, als experiment, oefening of therapie? *Amor fati* heet vanouds de kunst het onvermijdelijke te aanvaarden, met alle geduld, wilskracht en uithoudingsvermogen die daarbij nodig zijn. Maar hoe machtig staan wij tegenover het lot? Wat is de armslag van ons acteren? Staan wij uiteindelijk niet machteloos? Kun je *dansen* met het lot zonder daarbij je benen te breken?

Ik vrees dat ik het antwoord op deze vraag al weet. Daarvoor hoef ik alleen maar onder tafel te kijken naar het gips om mijn been. De praktische mogelijkheden van een dans met het lot zijn beperkt, vrees ik.

Hoe komt het dat ik van kathedralen de vloeren altijd het mooiste heb gevonden, de grijze en zwarte zerkplaten die halfgeordend, oneffen en gebroken de menselijke maat vertegenwoordigen te midden van alle verheven symmetrie?

Ervaringen van onmacht dwingen ons onze idealen bij te stellen en zetten ons weer met beide benen op de grond. Laten wij niet doen alsof met de bevestiging van onze zekerheden, die in werkelijkheid onzekerheden zijn omdat niemand een garantie heeft voor de toekomst, de zoektocht ten einde is; alsof onze antwoorden niet tijdelijk zijn en alle taal niet voorlopig is.

Het leven is niet zomaar in zijn mogelijkheden uitgeput, laat staan in schema's te vangen. Daar is het te sterk voor. Het doet mij denken aan het paard in de tredmolen dat dag aan dag hetzelfde rondje sjokt, loom en uitgeblust. Moet het niet de kans krijgen om te draven in de wind en over de velden, trots op zijn vrijheid en zijn kracht?

Aan draven kom ik zelf voorlopig niet toe. Ik ben al blij met ieder stapje vooruit.

Ook ik verlang naar orde, regelmaat en rust. Net als iedereen. Maar welke mate van orde is haalbaar? Laten we reëel zijn. Teleurstelling hoort bij het leven zoals de rimpeling bij de vijver en de vlek bij het servet. Ik wantrouw smetteloze idealen. Als de manifestatie van chaos onvermijdelijk is (al was het maar door te morsen aan tafel), is het zweren bij orde geflatteerd.

Misschien moeten wij vaker nadenken over de vraag in hoeverre wij onszelf met onze idealen in de weg staan. Het leven is ruiger dan onze gepolijste ideeën. Het is weerbarstig en oneffen, dwingt ons voortdurend te schakelen en improviseren, verschilt van moment tot moment en is wezenlijk fragmentarisch. Daar verander je niets aan.

En de mens? Wat is de mens? Handelend subject, wakend bewustzijn, denkend hart, redelijk wezen, individu. Dat alles is de mens en daarin uniek.

Maar misschien is zelfs deze schets alweer idealistisch. Wat is de mens? In de praktijk blijkt hij arglistig, vatbaar voor misleiding, jaloers, behept met macht, goedgelovig, berekenend. De mens is een vat vol illusies en frustraties. Wie zich in hem verdiept, stuit behalve op veel schoons op roest, aantasting en verwelking, kleuren op het palet die bijdragen aan een realistische tekening van zijn grandeur.

Orde en chaos. Soms vraag ik me af of wij het *in naam van het leven* niet moeten opnemen voor de chaos, hoe ongemakkelijk deze gedachte ook klinkt. Momenten waarop onze zekerheden wankelen kunnen ook momenten zijn waarop de toekomst zich aandient, zoals de lavastroom bij een vulkaanuitbarsting niet alleen verwoesting brengt, maar ook toekomstige vruchtbaarheid.

Misschien moeten wij minder bang zijn voor de momenten die ons losscheuren van onze zekerheden. Ze kunnen ons op weg zetten naar de toekomst. Er zijn momenten waarop de cirkel tot ellips wordt uitgerekt en de ellips tot een rechte lijn, zodat wij verder kunnen, bevrijd uit de tredmolen van onze angst en bevangenheid.

Soms lichten in de scheuren van de tijd nieuwe vergezichten op. Soms is pijn geboortepijn.

Het besef van de onzekerheid van het bestaan houdt zich achter de horizon van ons bewustzijn op. De macht van de gewoonte is groot. De meeste mensen willen niet dansen, laat staan op de rand van de vulkaan. Wat wij willen is veiligheid, rust, orde, zekerheid, geluk. Maar vinden wij die vaak niet pas door schade en schande heen? Ze liggen niet voor het oprapen.

Toen ik vanmorgen naar de hazen buiten keek, moest ik aan het verhaal van Jacob en Ezau denken, dat ik voor het eerst op de zondagsschool in Jakarta hoorde. Jacob vindt de zegen op het moment dat hij in zijn vitaliteit *geremd* wordt. Ezau, zijn tweelingbroer, treedt hem bij hun ontmoeting op de grens van het beloofde land tegemoet met de stofwolk van zijn manschappen om zich heen. Ezau staat symbool voor de wil tot macht. Hij denkt rechtdoor en gaat rechtdoor. Zo verorbert hij ook zijn linzensoep, gretig en gulzig. Toch is hij niet de gezegende.

Dat is Jacob, de vluchteling en balling. Jacob heeft alleen een wolk van vrouwen, kinderen en engelen om zich heen. Bij zijn worsteling met de engel, voorafgaande aan de confrontatie met Ezau, wordt hij op zijn heup geslagen en raakt hij mank. Het lijkt een verzwakking, maar maakt hem sterk.

'En Jacob worstelde met God.'

Bij mijn eigen worsteling sta ik nog tot mijn enkels in de modder. Zolang ik nog de zuigkracht voel van de diepte waaraan ik ternauwernood ontkomen ben, zal ik hier moeten blijven tussen deze muren. Het is goed. Ik weet wat mijn taak is. Ik moet het moeras inpolderen, kanalen graven en heel het overstroomde gebied ontginnen, totdat ik weer op het droge sta; totdat de chaos nieuw leven tevoorschijn brengt, aarde om op te wonen.

Zolang zal ik hopen. Zolang zal ik bidden.

Creatieve wanorde. Vruchtbare chaos. Misschien is het maar een gedachtegang, vluchtig als een ademtocht.

Maar ik wil niet somber zijn. Misschien komt het ooit zover dat de tekst die in dit christelijke Amerika met smeedijzeren letters op de wand van het sanatorium hangt, ook op mij van toepassing zal zijn:

There's a song in every silence,
seeking word and melody;
there's a dawn in every darkness,
bringing hope to you and me.
From the past will come the future;
what it holds, a mystery,
unrevealed until its season,
something God alone can see.

1 | Tweevoud

Het was al een beladen dag: de dag waarop Jan Idema eindelijk begraven werd, na een paar maanden te zijn vermist. Zijn begrafenis in Amsterdam viel op een dinsdag, die daarmee nog niet ten einde was, maar nog meer ellende in petto had. Door hun vlucht naar New York, in de avonduren, duurde de dag nog langer. De tijd raakte uit zijn voegen. Hetzelfde was met haar gebeurd in de blessuretijd van die bewuste dinsdag.

Iris kon noch wilde vergeten wat zich die avond had afgespeeld bij hun aankomst op Kennedy Airport. Daarom reisde ze iedere dinsdag naar de luchthaven, gewapend met een bos rozen die ze onderweg bij haar bloemenstalletje op Grand Central Terminal kocht. Tijdens de treinreis klemde ze dan haar handen om de rozen, zodat de dorens in haar vlees drongen en de pijn door haar lichaam trok, zonder dat iemand iets aan haar merkte. Ze leed in stilte, terwijl de trein langs de verlaten fabrieksterreinen en door de rommelige velden tussen Manhattan en John F. Kennedy International Airport reed.

Op haar dinsdagen volgde ze vanaf het perron de lift en de looproute naar de vertrekhal. Daar zocht ze de buitenlucht op. Bij de smalle grasstrook langs het parkeerveld trok ze, terwijl ze op en neer liep, de blaadjes uit de rozen om ze uit te strooien over het bloemperk. Daarna at ze de laatste twee knoppen op. Zo wilde ze zichzelf dwingen tot inkeer: met een passend gevoel van misselijkheid.

Terug in de terminal waste ze haar handen en dronk een beker water in het toilet. Daarna liep ze naar de rijen met stoelen in de hal. Daar dacht ze nog een poos na, met haar armen om haar tas op schoot geslagen, over haar vader, zus en moeder, haar proefschrift en de stroeve communicatie met Jonathan, haar promotor, Pieter en de pijnlijke gesprekken met hem, kortom over de onontwarbare kluwen in haar hoofd. Soms had ze het gevoel dat de plattegrond niet klopte en haar denken wegen insloeg die niet op de kaart stonden.

Ze had Pieter nooit over de rozen verteld. Ze vond dat het haar zaak was wat ze op het vliegveld deed.

'Jij hebt je op je werk gestort en bent net zo goed onbereikbaar!' had ze hem vinnig geantwoord, toen hij haar afgelopen weekend, na een ongemakkelijke wandeling in het park, verweten had gesloten en onbereikbaar te zijn.

Maar Pieter had volgehouden.

'Je stelt je aan, Iris. Je bijt je vast in een slachtofferrol en laat de rest, het huishouden, onze vrienden, mij, versloffen.'

'Jij hebt geen oren naar mijn versie van het verhaal.'

'Natuurlijk wel. Maar je overdrijft. Vijf jaar is een lange tijd! Je moet het verleden laten rusten en vooruit kijken.'

Als Pieter zo tegen haar sprak, deed Iris er het zwijgen toe en trok ze zich terug op haar kamer. Ze kon niet op tegen zijn argumenten. Misschien had hij gelijk. Maar toegeven betekende dat ze haar rituelen op moest geven. Die gedachte maakte haar angstig.

Ze rilde en had het koud achter haar bureau. Gelukkig studeerde ze. Dat leidde af en schonk voldoening, samen met het voorraadje muscadet in de voorraadkast op de gang. De wijn hielp haar bij het schrijven, werkte als medicijn en als buffer tegen de eenzaamheid.

Zes jaar geleden was ze samen met Pieter enthousiast neergestreken in New York. Na het statige maar saaie Washington had ze genoten van het wisselende straatbeeld in New York. De stad bruiste. Maar na verloop van tijd was ze de andere kant van de medaille gaan zien. In New York kon je ook doodeenzaam zijn. Het was een stad van individuen.

Ze veegde een pluk uit haar gezicht. Ze had zojuist de printer van nieuw papier voorzien en zich daarbij, half onder tafel, in allerlei bochten moeten wringen. Uit haar printer zou binnenkort de tekst van haar proefschrift tevoorschijn rollen. Ze zag uit naar het moment.

Hoewel ze alle tijd had, schoot ze weinig op. Ze luisterde naar het tikken van de klok op de gang, een antieke Friese pendule met een grote koperen slinger, een erfstuk uit de familie. Het lukte haar slecht thuis te studeren, met alle foto's en herinneringen om zich heen. Ze leidden haar af, net als de klok die al elf uur sloeg, terwijl ze nog nauwelijks iets gedaan had. Ze liep naar het raam en keek naar buiten. De regen tikte tegen de ruit.

Ze dacht terug aan vroeger. Had ze destijds op het gymnasium in Amsterdam de juiste van de twee broers gekozen? Die klemmende vraag kwam de laatste tijd vaker bij haar op. Maar misschien was 'kiezen' niet het goede woord. Want valt er veel te kiezen? Theoretisch misschien; in de praktijk is de repetitie meteen het leven zelf. Dat had ze van Milan Kundera geleerd. Niemand kan zijn leven toetsen aan voorafgaande of volgende levens. Een vergelijking is er niet. Slechts de ene *gerealiseerde* mogelijkheid maakt een onherhaalbaar mensenleven uit. Kundera noemde dit 'de ondraaglijke lichtheid van het bestaan' en stelde er 'zwaarte' tegenover: hoe zwaarder de last, des te dichter bij de grond, des te werkelijker en echter is ons leven. Ze kende deze zinnen uit haar hoofd.

In de vijfde klas van het gymnasium was ze verliefd geworden op Pieter. Hij en zijn tweelingbroer Floris leken in alles op elkaar. Maar Pieter had meer pit, was gewiekst, doelgericht en ambitieus. Floris had iets traags over zich en was filosofisch ingesteld, kwaliteiten waar ze toen de waarde niet van inzag. Ze wilde niet nadenken. Ze wilde lol maken, naast alle schoolverplichtingen en de extra taallessen die ze als repatriant terug uit Indonesië in Nederland moest volgen.

Ze had de tweeling leren kennen toen haar vader, vanaf dat moment professor Idema, in Amsterdam een leerstoel verwierf als kerkhistoricus. Na tien jaren in de tropen verhuisde het gezin terug naar Nederland. De tweelingbroers hadden zich toen allang losgemaakt uit hun opgelegde verdubbeling. Dezelfde haardracht, kleren, overhemden en truien, dezelfde broeken, sokken en schoenen, altijd en eeuwig alles hetzelfde: dat was het kunststukje van hun moeder geweest, waarmee zij bewondering oogstte in de kring van de familie, onder kennissen en op straat. Totdat de tweeling er genoeg van kreeg. Als pubers ontdekten zij hun eigenheid.

Na het gymnasium scheidden hun wegen. Pieter ging internationaal recht studeren, vloog door zijn studie en vond al snel een baan op de ambassade. Floris vertrok uit Amsterdam, nam de tijd en studeerde geschiedenis en filosofie.

Zelf had Iris haar studie wijsbegeerte en klassieke talen niet afgemaakt. Ze had er de concentratie niet voor, voelde zich in de grote stad als een vrijgelaten vogel en verwaarloosde haar vakken, tot ergernis van Idema. Ze stortte zich op feesten en partijen, interesseerde zich voor de ondernemingen van Pieter en genoot mee met zijn successen. Al snel verdiende hij zijn eerste geld en bij Buitenlandse Zaken gold hij als een talent.

Ineens ging het snel. Pieter bracht het in korte tijd van bureaumedewerker tot assistent-staflid en adjunct-attaché tijdens uitzendingen die volgden naar Aruba, Praag, Libanon, Stockholm en Washington. Voorafgaand aan hun vertrek naar de Antillen en een leven van diplomatiek omschakelen waren ze nog snel getrouwd in de Haagse Kloosterkerk, alsof professor Idema niets beters te doen had dan voor te gaan in de huwelijksdienst van zijn oudste dochter, haast hen op de hielen zat en het werk overzee geen minuut kon wachten.

Pieter stak alle tijd in zijn werk en glom van ambitie. Toch wist hij zijn doel om hoog op te klimmen in de diplomatieke hiërarchie niet te verwezenlijken. Telkens wanneer hij hoopte tot tweede of eerste ambassadesecretaris benoemd te worden, werd een ander in zijn plaats gekozen. In Washington kreeg hij definitief te horen dat er geen uitzicht meer was op promotie.

Lichtheid veranderde hierdoor in zwaarte. Pieter verloor zijn optimisme, reageerde korzelig, ging meer eten en dijde uit. De situatie thuis werd er niet lichter op. Het laatste jaar in Washington verliep ronduit gespannen. Pieter had moeite zijn situatie te aanvaarden en verloor de interesse in zijn werk. Uiteindelijk accepteerde hij dat het tussenstation het eindstation zou zijn en solliciteerde naar een baan bij de Verenigde Naties in New York.

De eerste paar maanden in New York voelden ze zich als herboren. Ze konden hun geluk niet op in hun appartement in de buurt van Central Park. Pieter was snel weer de Pieter die Iris kende. Hij jogde in het park, werkte aan zijn gewicht en ging weer met plezier naar zijn werk.

Zelf had ze ineens alle tijd. Na het stroeve slot in Washington voelde ze zich licht en gelukkig, blij verrast door haar plotselinge zwangerschap. Ze had met Pieter al allerlei voorbereidingen getroffen en net het appartement opnieuw ingericht met het oog op de komst van hun kind, toen noodweer zich boven hen samentrok als op een arcadisch schilderij en tot twee maal toe de bliksem insloeg.

Ze verreed haar bureaustoel over de mat op de vloerbedekking en strekte zich om achter haar rug een woordenboek uit de kast te pakken. Ze studeerde graag. Op de ambassade had ze er nauwelijks tijd voor gehad en waren haar dagen gevuld geweest met het voorbereiden van ontvangsten, het organiseren van *soirées à thème* en *soirées en club*, taalstudie, het opzetten van uitwisselingen en andere activiteiten die het leven aan de zijde van een hoge ambtenaar in buitenlandse dienst met zich meebracht.

Nu studeerde ze opnieuw. Dit keer had ze zich voorgenomen door te zetten tot het eind. De modules oude geschiedenis en klassieke talen aan Barnard College waren haar verrassend gemakkelijk afgegaan. Ze was verbaasd hoe snel ze de draad weer op wist te pakken.

Van Barnard College was ze Broadway overgestoken naar Columbia University, waar zich achter hoge smeedijzeren hekken de campus uitstrekte die ooit een broedplaats van protest was tegen de oorlog in Vietnam. Daarvan was weinig meer te merken. Meestal was het stil op het plein.

Op de universiteit werkte ze aan haar proefschrift onder begeleiding van Jonathan, een Engelsman met wie ze naarmate de voltooiing van haar boek naderde steeds vaker in de clinch lag.

Vanaf het universiteitsterrein wandelde Iris graag via Union Theological Seminary en de Riverside Church naar de groenstrook langs de Hudson. Het smalle park dat uitzag op de rivier was een plek waar ze zich thuis voelde. Ze wilde het uitzicht als innerlijk landschap bewaren door even kalm en waardig als het stromende water het leven op te pakken. De werkelijkheid was anders. Ze kon zich maar nauwelijks aan haar somberheid ontworstelen, die als een grijze deken alle weerbaarheid verstikte.

Op weg naar huis liep ze het Metropolitan Museum of Art weleens binnen. Ze kwam er graag, vooral in de avonduren als het er stil was en het late zonlicht speelde in de vertrekken. Een van haar favoriete plekken was, naast de afdeling met surrealistische schilderkunst, de Chinese binnentuin van het Ming House, vanouds een plek van theerituelen, sterrenkunde en filosofie. De muren rond de tuin waren bekleed met rode dakpannen, de wanden en gangen met warm honingkleurig nanhout.

Vanochtend werkte ze thuis, maar het liefst studeerde ze buiten de deur en nog liever in de buitenlucht. Meestal liep ze dan langs de winkels van Fifth Avenue naar Bryant Park, langs de drukke kruising met 59th Street en de vlaggen van Rockefeller Center. Als het nat was buiten werkte ze *next door* in de New York Public Library, waar ze in de grote studiezaal al heel wat uurtjes had doorgebracht.

Ze maakte zich los van het raam. Haar gedachten waren flink afgedwaald. Zo schoot ze niet op! Ze besloot daarom naar de bibliotheek te gaan. Pieter had gezegd dat hij misschien eerder thuis zou komen. De kans op een ontmoeting met hem, waarin ze na de woorden die ze in het weekend gehad hadden weinig zin had, ontliep ze liever.

Even later was ze in bibliotheek. Ze gaf haar jas af bij de garderobe en liep de gang op naar het toilet. In de spiegel zag ze wat ze al gevreesd had. Door de regen was haar mascara flink uitgelopen. Ze veegde de vlekken onder haar ogen weg en probeerde haar make-up te fatsoeneren. Met holle rug boog ze zich voorover om de juiste lichtval te vinden. Met een schuin oog keek ze naar zichzelf.

Ze wist dat haar bevlieging van een paar jaar geleden om zich opnieuw bij de universiteit in te schrijven alles te maken had met de dood van haar vader. Zijn plotselinge levenseinde had zwaarte in haar leven gebracht, het dragen van een last. Ze kon nog altijd niet begrijpen wat er gebeurd was.

Toen ze net een jaar in New York woonden was Idema omgekomen bij een ongeval met een ferry in Indonesië, waar hij de nodige contacten had overgehouden aan de tijd die hij er op de Nederlandse zendingsschool werkte. Het schip dat hem van Jakarta naar een van de eilanden van de Archipel zou brengen was in rustig weer 's avonds van wal gestoken. Het was geladen met een aantal containers en vrachtwagens en had een aantal een normaal aantal passagiers aan boord. Het schip was betrekkelijk nieuw en had nooit problemen ondervonden. Niets wees erop dat de reis noodlottig zou eindigen. Dat had ook niet gehoeven als het personeel zich aan de veiligheidsinstructies gehouden had en de lading ondanks de verzengende hitte en het bedrieglijk rustige weer volledig zou hebben vastgesnoerd.

Toen na een paar uur varen op open water tegen middernacht het weer ineens omsloeg, werd de situatie op slag gevaarlijk. Door onverwacht harde rukwinden van opzij helde de ferry gevaarlijk over. Het personeel van het laadruim en op het benedendek haastte zich de lading alsnog te zekeren en vast te sjorren, terwijl de kapitein het schip in de wind probeerde te leggen. Maar het was al te laat. Op het overhellen van de ferry begon een deel van de lading te schuiven. Even later was er geen houden meer aan. In het donker raakte het schip uit balans, kapseisde en begon te zinken. Uiteindelijk verdween het proestend en borrelend in het inktzwarte water.

Waarschijnlijk was Idema net als veel andere passagiers in zijn slaap verrast en verdronken, hoewel hij een geoefend zwemmer was. Bijna alle zomervakanties tijdens zijn verlof van de zending had hij met zijn gezin doorgebracht aan zee, in een houten huisje op het strand bij Bloemendaal. Totdat zijn vrouw, Corry, er genoeg van kreeg en het eeuwige zand vervloekte. Daarop waren ze in de zomer naar de Provence getrokken, waar haar vader onmiddellijk verliefd was geworden op het middeleeuwse kerkstadje Avignon.

Het bericht over de vermissing van Idema, hoogleraar aan de universiteit te Amsterdam en internationaal Lutherkenner, sloeg in als een bom, thuis, in de familie en op de faculteit. Iedereen die ervan hoorde was geschokt en hoopte op een goede afloop zolang niet alle lichamen geborgen en geïdentificeerd waren.

Het alarm bereikte Iris en Pieter pas anderhalve dag later, op vakantie in de Rocky Mountains, waar ze samen gelukkige dagen beleefden en Iris' verrassende zwangerschap vierden.

Het duurde nog maanden voordat het lijk van Idema geborgen werd en alle hoop tevergeefs bleek. De dood had zijn slag geslagen. De familie bleef als verdoofd achter en kon verder niets doen dan hem een waardige begrafenis te bezorgen.

Iris merkte dat haar hand voor de spiegel beefde. Het gebeurde haar vaker dat ze niet volledig de controle over haar handen had. Ze probeerde de gedachte aan de alcohol te onderdrukken. Eindelijk lukte het haar de klus met het oogpotlood te klaren. Ze keek in de spiegel. Gelukkig was er niemand het toilet binnengekomen.

Ze bekeek haar spiegelbeeld en werkte haar lippenstift bij. Ze zag de dunne groeven rond haar mond en ooghoeken en de kussentjes onder haar ogen. Boven de veertig ging het ineens snel. Kennelijk was schoonheid inderdaad 'als het gras op het veld, dat heden bloeit en morgen in de oven geworpen wordt,' zoals ze op de school met de Bijbel bij het wekelijkse psalmvers op maandagochtend had moeten leren. Het waren geen teksten voor kinderen, laat staan in de tropen. Daar had je een ander survivalkit nodig en moest je weten welke planten, spinnen en reptielen giftig waren, dat je niet ongestraft met scherpe lotusbladeren kon spelen en bij het zwemmen uit moest kijken voor de verraderlijke wortels van sommige waterplanten.

Ze pakte haar tas op en liep de gang door naar de studiezaal. Idema had gevonden dat zijn twee dochters, zij en Vera, altijd moesten blijven studeren, wat ze verder ook deden. Als Iris hem sprak, in Nederland, in het buitenland of door de telefoon, vroeg hij altijd met welk boek ze bezig was. Hij was het jammer blijven vinden dat ze haar studie niet afgemaakt had, hoewel hij respect had voor de wijze waarop zij haar taken rond de ambassade vervulde. Regelmatig had hij haar boeken gestuurd die hij de moeite waard vond of zelf geschreven had.

Sinds kort waagde Iris zich behalve aan de literatuur voor haar proefschrift ook aan de boeken van Idema: theologieboeken waar ze geen verstand van had, maar waarvoor ze zich niettemin interesseerde. Ze wilde de huid van haar vader voelen in en achter de woorden die eens uit zijn pen vloeiden.

Soms zag ze bij het schrijven zichzelf terug als kind. Op het scherm van haar laptop zag ze dan niet de contouren van de vrouw van drieënveertig die ze inmiddels was, maar het meisje dat onder de klamboe in het witte stenen huis naast de zendingsschool in Bandung al hele verhalen schreef om de bedreigingen van de kindertijd te bezweren, zoals de valse zwarte hond van de buren, de nieuwe schoolklas, vreemde taal en inheemse gewoonten.

Nog altijd vielen haar de beelden van die bewuste dinsdag te binnen. Het was koud en regenachtige geweest op de begrafenis van Idema in Amsterdam. De toespraken tijdens de overvolle uitvaartplechtigheid namen veel tijd in beslag en op de begraafplaats had ze kou gevat in haar dunne zwarte kleren. Na afloop moesten ze zich haasten naar het vliegveld en was er nauwelijks tijd om afscheid te nemen. Ook op de luchthaven was er vertraging. Daardoor stegen ze pas laat op in de richting van New York. Alles aan haar lijf deed zeer van vermoeidheid, opwinding en stress.

Tijdens de vliegreis leunde ze veelvuldig met haar hoofd tegen het witte kussendekje voor zich. Ze had geen trek in eten, maar dronk alleen water, veel water. Zo had ze geprobeerd haar zenuwen de baas te blijven. Ze was ruim over de helft van haar zwangerschap en hield zichzelf voor dat haar gebrekkige conditie te maken had met haar tekort aan slaap, het lange staan tijdens het condoleren en alle spanningen van de afgelopen maanden.

Ze liet Pieter niet merken dat ze ongerust was. Hij lag in de stoel naast haar te slapen en had, gewend aan lange vliegreizen, zijn rugleuning laten zakken en slaapbril omgedaan. Vurig hoopte ze dat de onrust in haar hoofd over zou gaan zodra ze weer thuis zouden zijn.

Toen ze arriveerden in Amerika, met hun paspoort door de douane waren gegaan, hun koffers van de bagageband hadden gehaald en op weg waren naar de uitgang om een taxi te nemen, braken halverwege de aankomsthal haar vliezen. Ze kreeg plotseling hevige buikkrampen en voelde dat er vocht langs haar benen liep. Eerst dacht ze dat ze haar blaas niet onder controle had en te veel gedronken had in het vliegtuig. Maar het stromen hield aan, ongecontroleerd. Ze rook nu ook iets en geneerde zich.

Overvallen door nieuwe krampen klampte ze zich vast aan Pieter. Ze kon geen stap meer verzetten en zag hoe zich op de vloer van de aankomsthal een plas vormde rond haar doorweekte begrafenisschoenen. Toen pas realiseerde ze zich wat er gaande was. Ze voelde paniek opkomen. Alles begon te draaien: de lichtreclames, het gezicht van Pieter, die niet begreep wat er aan de hand was, de vloer, monitoren met vertrektijden, passerende voorbijgangers, het plafond. Niets bleef op zijn plaats. Ze voelde braakneigingen, deed een stap opzij, klampte zich vast aan de bagagekar en plofte neer op de koffers.

Het personeel van de luchthaven merkte aan het gebaren van Pieter dat er iets aan de hand was. Al snel vormde zich een kring met krakende walkietalkies om hen heen. Ze schaamde zich, wilde weg, maar kon niet weg. Het zweet liep over haar rug en ze was ze niet in staat iets uit te brengen. Ze wees alleen verontschuldigend naar haar buik, die met regelmatige tussenpozen samentrok. Er was geen houden aan. De weeën waren begonnen.

Haar kind bevond zich op de grens van levensvatbaarheid. Ze had het niet bij zich kunnen houden, hoewel haar zwangerschap alles voor haar betekende en tegenwicht bood aan de dood van haar vader. Hoe kon het lot binnen een paar maanden op hetzelfde adres aankloppen?

Het ambulancepersoneel dat op een drafje aankwam met een bed op wielen werd gedirigeerd door een gezette Surinaamse, die haar onder geruststellende woorden sommeerde plat op haar rug te blijven liggen.

'O dear. Ja, goed zo. Rustig maar. Dit is je man zeker? Het is even schrikken maar gebeurt vaker, weet je. Het komt goed. Niet schrikken van de prik. We leggen even een infuus aan om de weeën te stoppen. Ja, goed zo. Blijf maar liggen. Je bent een kanjer. Je gaat het redden. Maak je geen zorgen.'

Voor ze het goed en wel besefte werd ze op de hoge brancard naar de uitgang van de terminal gereden. Binnen een mum van tijd lag ze in de ambulance. Ze hield haar ogen gesloten en probeerde nergens aan te denken.

Toen ze arriveerden bij het ziekenhuis namen de weeën af. De medicijnen deden hun werk en haar toestand stabiliseerde. Voor het oog. Want onzichtbaar voltrok zich, terwijl de artsen tevreden waren en naar huis gingen, onder de lakens het *worst case scenario*. 's Nachts kreeg ze koorts en kwam er een infectie bij. Dat betekende het einde. Zij had haar kind naar de rand geduwd, de infectie gaf het laatste zetje. Haar kind stierf, onvoldragen.

Het moest de volgende ochtend alsnog geboren worden, hoewel ze bekaf was. Het was een uitputtingsslag. Ze kon nog altijd niet begrijpen waarom op de dood van haar vader niet het leven van haar kind was gevolgd, een lief en volmaakt mooi jongetje dat ze naar hem vernoemd zouden hebben en de lege plaats die Idema had achtergelaten zou hebben helpen opvullen. Op de dood van haar vader volgde de dood van haar kind. Zo was haar in korte tijd een dubbele slag toegebracht, waarvan het effect nog in haar nadreunde.

Het was al schemerig toen ze langs Fifth Avenue van de bibliotheek terugliep naar huis door het rumoer van de avondspits. De motregen maakte de lampen van het tege-moetkomende verkeer tot sterretjes wanneer ze haar ogen samenkneep. Ze dacht aan Pieter die zou foeteren dat ze laat was, maar ook aan Kundera. Trok haar in Pieter nog al-tijd aan wat haar destijds voor hem ingenomen had? Sinds hun huwelijk voltrok haar leven zich in de baan van haar keuze. Daaromheen bevond zich een heelal aan mogelijk-heden die buiten de schets gebleven waren.

Ze reageerde niet op het claxonneren van de chauffeur vlakbij die haar tot een taxirit wilde verleiden. Ze liep lie-ver een eind door de regen dan over van alles en nog wat te moeten converseren op de achterbank van een taxi met de loerende ogen van een chauffeur op zich gevestigd en de halfseksuele ondertoon van het gesprek te moeten ver-dragen.

Tot de ongerealiseerde mogelijkheden van haar leven behoorde Floris, de tweelingbroer van Pieter. Hij maakte het dilemma van Kundera over kiezen en gekozen heb-ben, lichtheid en zwaarte, tastbaar. Pieter wist niet dat ze sinds haar laatste bezoek aan Amsterdam contact met hem onderhield. Ze had haar ongetrouwde zwager opnieuw ontdekt, hoewel ze hem al vijfentwintig jaar kende. Floris begreep haar, luisterde en was intelligent. Hij had als historicus meteen de problemen van haar dissertatie begrepen, waarover ze hem verteld had. Dat had een vonk doen overspringen. Het was dat hij last had van vliegangst. Anders was hij allang een keer in New York geweest.

Vergenoegd dacht ze terug aan hun wandelingen in en om Amsterdam, waarop ze hem over haar studie verteld had over Vergilius, de Romeinse dichter die kort voor de jaartelling jammerlijk stierf aan de gevolgen van een zonnesteek.

'Mijn belangstelling voor Vergilius,' had ze Floris geantwoord op zijn vraag wat haar boeide, 'is geboren uit verbazing. Hoe kon Homerus na zevenhonderd jaar nog steeds de belangrijkste dichter zijn, tot in de dagen van Augustus?'

Haar moeder had ook willen weten waar haar boek over ging. Tijdens een van haar bezoeken aan Nederland hadden ze samen in haar flat in Amstelveen in de achterkamer hutspot gegeten en daarna koffie gedronken in de voorkamer.

'In mijn boek,' had ze tegen Corry gezegd, 'toon ik het genie van Vergilius aan. Daarbij schik ik in mijn materiaal zoals de tafels op de ambassade: soort bij soort, doordacht en overzichtelijk, met hier en daar een toefje, uitschieter of iets verrassends.'

Haar moeder had aanmoedigend geknikt. Ze zag de tafels voor zich.

'Ik maak een vergelijking tussen teksten van Homerus en Vergilius met als doel de originaliteit van Vergilius te belichten.'

'Lijkt me reuze interessant.' Haar moeder had spontaan geantwoord, maar haar toon verried dat de slavenarbeid waaraan haar dochter zich onderworpen had haar een helse klus leek. Iris kon zich op haar beurt niet heugen haar moeder ooit enthousiast te hebben gezien over de prestaties van haar godgeleerde echtgenoot.

'Ik verdiep me ook in de tijd tussen de twee dichters in,' was haar gesprek met Floris verdergegaan, terwijl ze tegen een koude sneeuwwind in liepen en hun hoofden gebogen hielden tegen de wind.

'Je hebt gelijk. Er is geen geschiedenis zonder voorgeschiedenis.' Die zin tijdens hun wandeling aan de rand van de stad langs de begraafplaats waar Idema begraven was, had ze goed onthouden.

Jonathan vond het niet nodig dat ze, ook al leverde dit misschien een aantal contrasten en perspectieven op, ook de tussenliggende periode bij haar onderzoek betrok. Hij wilde dat haar studie 'een zuiver literair tweeluik' zou worden. Jonathan hield niet van toefjes, losse opmerkingen en doorkijkjes.

Iris vond dat hij teveel aan de letter vasthield. In haar visie was de geest belangrijker. De tekst vormde de basis, maar wie de basis niet verliet kwam nooit op de top. Haar gesprekken hierover met Jonathan verliepen moeizaam. Het zou haar niet verbazen als hun samenwerking binnenkort spaak zou lopen. Anderzijds kon ze niet om hem heen. Jonathan was haar begeleider.

Misschien moest ze listiger te werk gaan, zijn zwakke plekken bespelen en haar vrouwelijkheid uitbuiten. Daarvoor was hij gevoelig, had ze gemerkt. Antichambreren maakte bij de meeste mannen meer los dan discussiëren.

Ze probeerde het ritme van de betonplaten op het trottoir te volgen, maar schoot door de drukte weinig op met haar telwerk. Tijdens het spitsuur moest je uitkijken niet overlopen te worden.

Floris had kritisch gevraagd of Homerus wel zo populair was. Zijn wereldbeeld van goden en helden was al snel gedateerd. De filosofie en de wetenschap rukten op. Maar er waren ook aanbidders, die net als hij lange werken schreven die het niet haalden bij die van Homerus zelf.

Dat had je met imitatiegedrag. Iris had Pieter er meer dan eens voor gewaarschuwd. Hij gedroeg zich op de ambassade net iets te opzichtig zoals zijn superieuren zich gedroegen. Daar hielden ze niet van. Je moest ambitieus zijn, maar ook je plaats weten. Dat waren de regels. Pieter wilde te veel, hield geen rekening met de pikorde binnen het kleine wereldje van de buitenlandse diplomatie en viel door de mand bij BZ.

Op het rinkelen van haar cell phone stond ze stil op het trottoir. Op haar display zag ze dat het Pieter was die belde.

'Hoe laat denk je thuis te zijn?'

Zijn stem klonk vriendelijk. Kennelijk had hij een goede dag gehad en zich niet gestoord aan haar afwezigheid.

'Ik ben onderweg van de bieb naar huis. Ik ben er over een minuut een vijftien.'

'Neem anders een cab met dit weer.'

'Ik heb geen haast en waai lekker uit zo.'

'Okay. Ik wacht op je. Ik heb wraps met Mexicaanse bonen.'

'Klinkt goed. Tot zo.'

Pieter kon onverwacht aardig zijn. Het bracht haar in verwarring nu ze verlangend aan Floris liep te denken.

Vanavond had Pieter gekookt in plaats van zich afhankelijk op te stellen en te mokken over haar late thuiskomst. Even voelde ze iets van de oude gloed die hen verbond. Maar ze wist dat alles ingewikkelder lag, dat Pieter ook voor zijn hobby kookte en er haar bewondering voor terugverlangde. Zijn aardigheid kon ook weer omslaan en kon voor haar op dit moment niet op tegen de stimulerende diepgang van zijn geleerde broer.

Ze stak Fifth Avenue over en telde het aantal voetstappen naar de overkant. Ze wist dat het er negenentwintig waren. Daarna liep ze verder naar huis, nu aan de goede kant van de straat.

Bij haar speurwerk was ze ook op Callimachus gestoten, een Griekse geleerde in Alexandrië, die de vloer aanveegde met alles wat nog heroïsch wilde zijn in zijn tijd. Tegelijkertijd was hij een man met een gevoelige inborst, een dichter. Zo zwaaide hij de scepter over de machtige bibliotheek van Alexandrië. In plaats van ellenlange verzen beproefde hij het korte, familiaire gedicht. Zo vernieuwde hij de dichtkunst van zijn tijd.

Maar het bloed kroop waar het niet gaan kon. Apollonius, een van zijn medewerkers, liet de goddelijke Heracles in zijn dichtkunst weer gewoon met zijn knots rondgaan à la Homerus. Hij vond de gedichten van zijn leermeester te gekunsteld. Het conflict tussen beide geleerden liep zo hoog op, dat Apollonius uitweek naar Rhodos. Later verzoende hij zich met de oude Callimachus. Uiteindelijk werden ze naast elkaar begraven.

Ze vond het een mooi verhaal, vooral vanwege het gespiegelde graf aan het slot.

Aan Vergilius ging ook een aantal Romeinse dichters vooraf die in zwierigheid niet voor Apollonius onderdeden. Zo schreef Ennius een omvangrijk werk over de vroege geschiedenis van Rome. Ze moest altijd om hem lachen. Hij deed haar aan Jonathan denken. Ennius was een streber. Hij wilde de Homerus van Rome zijn, maar zijn stijl kraakte en zijn werk vertoonde geen eenheid. Het was te pompeus.

Iris wilde dit materiaal verwerken in haar boek. Het zou haar portret van Vergilius levendig maken. Maar het lukte haar niet Jonathan er warm voor te krijgen. Jonathan was een Brit van het type *stiff upper lip*. Hij zou met zijn versleten tweed jasjes en vormelijkheid van de Engelse landadel kunnen stammen, die niet bekend stond om zijn souplesse.

Ze speelde het spel wel mee. Op de ambassade had ze leren buigen en strekken als geen ander. Ze voerden iedere keer weer een toneelstuk op wanneer ze bij Jonathan thuis op zijn studeerkamer haar stukken bespraken. Eerst dronken ze thee en wisselden beleefdheden uit. Daarna staken ze van wal. Als ze het goed begreep was hij bang dat zij zich te veel op zijsporen begaf. Haar vergelijking tussen Vergilius en Homerus moest precies en volledig zijn. Daar lag zijn enthousiasme. Hij meende dat uit haar boek een standaardwerk kon groeien, mits zij zich aan de regels hield. Maar juist daarover streden ze. Het liefst zou Jonathan al haar beschouwingen schrappen ten gunste van 'een zuiver wetenschappelijk proefschrift.' Bij dit soort zinsneden sprak hij deftig en geaffecteerd met zijn rode sik, hoewel hij nauwelijks ouder was dan zij. Hij trok er een pruilmondje bij dat hij speciaal bewaarde voor de momenten waarop hij zijn woorden kracht wilde bijzetten. Ze moest dan haar lachen bedwingen. Als ze haar gedachten niet bij het gesprek kon houden, lette ze alleen op het mondje, tot het zich vormde en *his masters voice* zich liet horen.

Afgelopen zomer had Jonathan de laffe suggestie gedaan haar 'vondsten' en 'geëngageerde beschouwingen' in een andere publicatie onder te brengen. Dat was een wel erg gemakkelijke oplossing. Ze had er weinig voor gevoeld. Wat had je aan veilig reconstrueren? Ze kon niet schrijven over Vergilius zonder in zijn huid te kruipen en met hem mee leven. Jonathans benadering was haar te klinisch en afstandelijk.

Wat moest Vergilius in de nieuwe tijd onder keizer Augustus? Homerus was gedateerd, Callimachus te streng, Ennius te barok. Welke weg moest hij bewandelen om het Romeinse ideaal vorm te geven?

Pas op het laatste moment sprong ze opzij voor de krantenbrommer die op haar afkwam en haar met zijn brede zijtassen schampte. Verontwaardigd keek ze hem na. Alsof zijn gedoogde aanwezigheid op het trottoir hem het recht gaf de voetgangers de stuipen op het lijf te jagen!

Ze vroeg zich af waar ze gebleven was. Vergilius. Ja. Hij deed een meesterlijke greep. Hij keerde terug naar Homerus, maar overbrugde met behulp van flashbacks en profetische scènes de tijd tussen Troje en Rome. Zo speelde hij het klaar het mythische en historische, legendarische en eigentijdse in één verhaal te vangen. Het was geniaal. Vergilius voelde dat hij Homerus niet kon passeren, maar dat directe identificaties, bijvoorbeeld van Augustus met Hector, zwak zouden zijn. Identificaties liepen zelden goed af. Hitler wilde als Napoleon zijn toen hij Rusland aanviel. Daarmee moest hij oorlog voeren op twee fronten en kopieerde hij zijn mislukking.

Vergilius liet zich niet verleiden tot propaganda. Hij keek verder, als verlicht dichter, naar een toekomst van vrede. Onafhankelijk gaf hij vorm aan het Romeinse ideaal. Net zo wilde Iris haar proefschrift verdedigen als haar levensboek.

Ze vond het onbegrijpelijk dat Jonathan geen gevoel had voor de actualiteit van Vergilius. In de situatie van de Amerikaanse politiek met zijn partijbelangen, smeergelden, zwartmakerij en beïnvloeding had Vergilius veel te zeggen. In de politiek draaide alles om macht. Wie de media beheerste kon de publieke opinie in elke gewenste richting sturen, zelfs een nieuwe oorlog in. Verschilde de pax Americana veel van de pax Romana?

Van de gastlezingen op de ambassade in de loop der jaren had ze onthouden dat onder anderen Hugo de Groot met zijn ideeën over staatsrecht, oorlog en vrede zich liet inspireren door Vergilius. Maar dit soort zaken kon ze beter voor zich houden. Ze moest Jonathan niet tegen zich in het harnas jagen met haar geëngageerde ideeën.

Toch was het boeiend dat de roem van Vergilius de ondergang van het Romeinse rijk overleefde. Dante zei dat hij door Vergilius dichter en een christen geworden was. Ook de prelaten van het christelijke Rome wisten wel raad met hem als 'onze goddelijke dichter'. Hij sprak hun eigen taal!

In de Renaissance meende men dat Vergilius Homerus op een hoger plan bracht, verfijnde en vervolmaakte. Maar Shakespeare protesteerde. Hij vond Vergilius te gepolijst, gekunsteld en een na-aper. Misschien hield de naïviteit van Homerus inderdaad zijn waarde? Vooralsnog wilde ze beide dichters in hun waarde laten.

2 | Idem aliter

Peinzend keek Soetaert voor zich uit, zonder veel te zien in de met bielzen en grindtegels beklede binnentuin van de universiteit. Alleen de bakken met perkplanten gaven een suggestie van de buitenlucht. Voor de rest was het er even fantasieloos als in de leeszaal met zijn langgerekte tafels van versleten formica langs de beslagen ramen. Hij had de hele middag in de bibliotheek gewerkt en gehaast zijn aantekeningen gemaakt, soms nauwelijks leesbaar.

Een krakende vrouwenstem door de intercom meldde dat de bibliotheek over vijf minuten dicht zou gaan. Maar Soetaert kon zich niet van zijn stoel losmaken. Een paar maanden al broedde hij op twee Latijnse woorden die hem in hun greep hielden. Hij had ze groot met stift op zijn blok met aantekeningen geschreven: idem aliter – hetzelfde anders.

Vanaf de eerste kennismaking was hij gevallen voor de bekoring van deze spreuk. Inmiddels wist hij dat zijn intuïtie hem niet bedrogen had. Er gingen werelden in schuil als bij het ruisen in een schelp van verre oceanen. Het Latijn was omvattend, zoals een sneeuwvlok de structuur van het heelal bevat: een kristal, een heelal.

Hij keek op en zag dat het nog altijd regende. Dat maakte het nog minder aantrekkelijk de bibliotheek te verlaten. Het liefst zou hij nog een paar uur doorwerken.

Een levenswet, een code, was zijn adagium dat? Een sleutel, die toegang gaf tot onvermoede ruimten? In de wetenschap hanteerde men het als grondslag voor nieuwe ontdekkingen, waarbij de weg van het bekende (idem) naar het onbekende liep (aliter), van de grondslag naar het experiment. Allengs had de mens geleerd de natuurwet als paradigma te hanteren. Maar was zijn gezegde niet allereerst van toepassing op het leven zelf? Geen dag, stem, oogopslag of vingerafdruk was hetzelfde. Wie raakte uitgedacht over het wonder van de variatie? Idem aliter. Het leven was elk moment weer anders!

Maar hij moest opschieten. Straks zou ook de ruimte met kluisjes dicht gaan en zouden de gangen van de universiteit het domein zijn van de schoonmakers die geruisloos hun werk deden in de avonduren. Haastig begaf Soetaert zich naar de uitgang, met een zwaar gevoel in zijn hoofd. De weg die hij ingeslagen was, was verre van eenvoudig. Maar een weg terug was er niet. Het zou erom spannen of zijn inspanningen beloond zouden worden, of het hem lukte een wervend voorstel voor een symposium te presenteren, waarom de rector hem gevraagd had met het oog op de aanstaande reünie van het gymnasium.

Bij de kluisjes verzamelde hij zijn spullen. Buiten sloeg de regen in zijn gezicht. Met moeite hield hij zich staande in de wind die de vlaggenmasten voor de universiteit striemend deed tinkelen. Gekromd liep hij naar de fietsenkelder. Het kostte hem moeite zijn fiets van slot te halen in de slecht verlichte ruimte. De bezuinigingen op de universiteit waren doorgedrongen tot in het fietsenhok.

Op weg naar huis dacht hij aan zijn oogklachten. Ze waren een jaar eerder tijdens de vakantie begonnen. De alarmbel was pas afgegaan toen de opticien hem naar de oogarts doorstuurde, die vaststelde dat een van zijn ogen onherstelbaar beschadigd was.

'Er is geen kans op verbetering?', had hij hem gevraagd.

'Nauwelijks. Er zijn cellen doodgegaan, door tekort aan zuurstof. Die worden niet meer levend. De narigheid zit in uw geval bovendien centraal retinaal. U zult alleen in het perifere gebied scherp kunnen zien.'

De conclusie was dat hij met aanzienlijke *Augenschmerzen* opgezadeld zat. Van het ene op het andere moment was hij tot de ooglijders gaan behoren.

Tijdens de nasleep van zijn oogkwaal was hij aan allerlei medische onderzoeken onderworpen geweest. Van nabij had hij de grondigheid van een academisch ziekenhuis leren kennen. Zijn oogafwijking was zeldzaam en men liet er geen gras over groeien. Vooral de 'bloedjongens' – de hematologen in het jargon van het ziekenhuis – hadden de nodige tijd aan hem besteed. Maar de vermeende afwijking in zijn bloedbeeld, die mogelijk ten grondslag lag aan de ravage in zijn oog, bleek niet reproduceerbaar en werd daarom weer doorgestreept. 'De uitslag is negatief,' had de arts hem meegedeeld. Waarmee hij bedoelde dat deze positief was.

Thuis en op school had Soetaert geprobeerd zijn leven zo normaal mogelijk voort te zetten, al was er veel veranderd. De eerste maanden tastten zijn handen in de lege ruimte als hij iemand een hand wilde geven en struikelde hij over stoepranden en opstapjes alsof hij in het circus acteerde.

Later wende zijn situatie en zocht hij naar compensatie. Was zijn gezichtsveld aangetast, denken kon hij nog goed en misschien wel beter dan tevoren! Hij vroeg zich zelfs af of nadenken wel zin had *zonder* – wat zijn ene oog nu deed – naar binnen te kijken. Zonder introspectie derhalve. Bij deze kwestie speelden oude filosofische discussies over de aard van de menselijke kennis, de kenbaarheid van de werkelijkheid en de rol van het kennende subject. Opmerkelijk in zijn staat van gedwongen introspectie was ook het orakel van Delphi. Wie er te rade ging in de oudheid werd niet met ingewikkelde beschouwingen naar huis gestuurd, maar met de opdracht tot zelfkennis.

Soetaert hield zichzelf voor dat zijn slechtziende oog veranderd was van functie. Voortaan keek het naar binnen. Zo probeerde hij van de nood een deugd te maken. Maar gerust was hij er niet op. Het mankement aan zijn ogen leverde behalve een verdiept inzicht in de dualiteit van alle kennis (was er niet altijd een subjectzijde en objectzijde?) ook het gevaar van gespletenheid op. Het was niet denkbeeldig dat zijn project van zelfverheldering, waaraan hij onder de vlag van het schoollustrum *en passant* begonnen was, jammerlijk zou mislukken.

Maar hij zou de ingeslagen weg vervolgen en was gaan houden van het sprookje van de dieren in het woud, die zich, hoewel gehavend, in optocht organiseerden tot stadsmuzikanten in Bremen onder het motto *er is altijd iets beters dan de dood*.

'Leven dat leven wil te midden van leven dat leven wil.' Zo had Albert Schweitzer het geformuleerd, toen hij weigerde de mensheid in Afrika op te geven en als monument van de twintigste eeuw de vox humana niet alleen achter zijn Zwitserse kerkorgel open had getrokken.

De weg van de universiteit naar huis bedroeg niet meer dan twintig minuten. Soetaert fietste het stuk graag. De wind en de regen deerden hem niet. Hij moest wel opletten. Ook na een jaar was hij nog niet aan de toestand met zijn ogen gewend, al was hij blij dat zijn oog cosmetisch intact was gebleven. Vooralsnog had het zijn natuurlijke glans behouden.

Vreemd was dit, dat niemand iets aan hem zag. Ook hierin scholen dilemma's. Hoe verhouden zich schijn en werkelijkheid, waarheid en illusie? Plato had de kennis van de eeuwigheid uitgespeeld tegen die van de tijd. Dit dualisme was volgens Soetaert onhoudbaar. Het was vragen om bloedarmoede. Plato's idealisme leidde tot een devaluatie van het aardse leven. De tijd, de geschiedenis, alle menselijke activiteit en creativiteit: als ze niets meer opleverden dan schaduwkennis, eindigde men met Plato in een spagaat.

❧

Nu hij de drukte van de binnenstad voorbij was, leunde de trambestuurder van lijn 14 achterover in zijn stoel. Hij trommelde met zijn vingers op het zwarte dashboard naast zich en neuriede een melodietje. Lijn 14 was zijn favoriete lijn. Hij begon in een rustige buitenwijk. Vandaar voerde het traject onder het viaduct van de ringweg door langs het stadspark naar de rand van de binnenstad en vandaar, gracht na gracht, verder via de Dam naar het Centraal Station. Vanaf het keerpunt bij het station volgde de route terug naar de buitenwijk.

Het was misschien weinig origineel dat hij als geboren Amsterdammer hield van het getal 14, dat de beste voetballer in de geschiedenis van de club bij zijn vertrek had meegenomen. Niemand droeg het rugnummer meer op het veld. Twintig jaar geleden was hij op het idee gekomen sportshirts met rugnummer 14 te gaan verzamelen. Hij had er inmiddels bijna driehonderd. Zijn verzameling hing aan zelfgetimmerde rekken op zolder. Hij hoopte dat zijn zoontje, die nu nog voetbalde bij de jeugdelftallen, zijn hobby zou overnemen.

Pronkstuk was een origineel shirt, gedragen en gesigneerd door de meester zelf na afloop van een gewonnen Europacupfinale. Hij had er flink voor moeten betalen op de veiling, maar had het bedrag bij uitzondering in termijnen mogen betalen.

De tram naderde de ringweg en de gebouwen van de universiteit. Daar was het opletten. Soms staken er mensen kriskras over om de tram nog te halen, om over de fietsers maar te zwijgen. Hij hield zijn hand bij de bel.

Net toen hij onder het viaduct door was en de bocht om wilde slaan, zag hij in zijn ooghoek een fietser naderen die door rood reed in de regen. Natuurlijk had de kruisende tram voorrang. Met zoveel meters staalplaat kon hij ook niet even remmen of uitwijken. Luid liet hij de trambel rinkelen. Maar de fietser reageerde niet. Plotseling joeg de adrenaline door zijn lijf. Hij zette zich schrap en remde uit alle macht om niet dwars over de fietser heen te rijden. Lijn 14 werd lijn 13: de tram bonkte en schokte en gleed met knerpende wielen nog een paar meter door in de natte rails. Op het allerlaatste moment keek de fietser op, trapte op de rem, slipte en botste van opzij tegen de tram, om daarna als een aaseter aan de flank van een walvis nog een paar meter met de tram mee te bewegen. Het was een wonder dat hij niet onder de tram terecht was gekomen.

Kwaad schoof de trambestuurder zijn schuifraam open en schold de fietser de huid vol. Wees beleefd, maar duidelijk, luidde de instructie van het vervoersbedrijf. Daar kon in het geval van zijn gesjeesde student nog wel een schepje bovenop.

'Zo. Dat scheelde weinig, meneertje. Kun je niet uit je doppen kijken? Als iedereen door rood gaat rijden gebeuren er ongelukken. Oen! Je had morsdood kunnen zijn! En ik kan heel de bliksemse boel weer gaan opstarten.' De tram stond inderdaad geparkeerd op de kruising. Er stak wat stadiontaal in zijn woorden, maar dat moest de bestuurder van lijn 14 maar vergeven worden. Er gebeurden al te veel ongelukken als gevolg van roekeloos rijgedrag en hij meende het niet kwaad.

❧

Beschaamd droop Soetaert af, zijn fiets aan de hand. Hij rilde en voelde zijn heup en rechterschouder branden. Waarom had hij de tram pas op het allerlaatste moment gezien? Dat lag niet alleen aan zijn beslagen brillenglazen. Hij was in gedachten verzonken geweest.

Hij liep tussen de auto's door naar het fietspad aan de overkant van de straat en reed de eerste de beste richting in, weg van de tram die nog altijd bewegingloos op de kruising stond.

Via een omweg bereikte hij een half uur later zijn etage aan een van de dwarsgrachten in de binnenstad. Daar parkeerde hij zijn fiets in de smalle gang beneden. Na het incident hadden zijn gedachten stil gestaan. Inmiddels draaiden ze weer op volle toeren. Hij dacht aan het neoplatonisme. Dat had geprobeerd de dialectische strengheid van Plato te verzachten. Maar ook in het neoplatonisme keerde het bestaande terug tot het Ene zonder wezenlijk te zijn beïnvloed door de historische ontwikkeling. Het neoplatonisme was een pleister op de wonde, maar nam de wond niet weg.

Hij schrok van de telefoon die overging en beende de trap op. In het halletje zette hij zijn tas op de grond en nam de hoorn van de haak.

'Heb je niets vergeten?' klonk het aan de andere kant van de lijn, nadat Soetaert zijn naam genoemd had. Hij herkende haar stem onmiddellijk. Vivian!

'Heb ik iets vergeten?'

Hij herhaalde haar vraag om tijd te winnen, niet in staat zich iets te herinneren. Waar ging dit over? De overgang van het neoplatonisme naar het telefoongesprek was te groot. Hij wist niet wat hij moest zeggen. Binnen de minuut stond hij met zijn rug tegen de muur.

'Ja, hadden we niet iets afgesproken?'

Hij voelde de warmte naar zijn hoofd stijgen. Klopte er iets niet? Wat bedoelde ze? Nog altijd liet zijn geheugen hem in de steek. Hij concentreerde zijn blik op de telefoondraad die door vergeelde krammetjes langs de plint van de deur omhoogliep. Hij moest de plint een keer verven.

'Zeg het maar, dan weet ik het weer.' Zijn stem klonk berustend. Hij was hier niet goed in. Gelukkig stelde Vivian hem niet langer op de proef.

'Je zou iets opsturen.'

Toen herinnerde hij zich hun afspraak. Toen ze elkaar onverwacht getroffen hadden in de stad en Vivian interesse getoond had in 'zijn nieuwste onderwerp,' had hij beloofd haar er iets over op te sturen. Hij was het geheel vergeten. Dat beloofde weinig goeds. Maar gelukkig was het venijn uit de stem van Vivian geweken. Kennelijk had ze zich bedacht. Komend weekend zouden ze samen optrekken. Dat schiep een band.

Hij had beloofd haar per e-mail een aantal bestanden te sturen. Zo kon zij zich alsvast voorbereiden op de stof die hij als 'gastspreker' op hun 'conferentie' in de provincie zou inbrengen.

Hij trok zijn regenpak uit en liep naar de keuken. Daar sprak hij Italiaans met zichzelf bij het klaarmaken van de pasta die hij het liefste at: pappardelle met een in olijfolie, knoflook en basilicum gedrenkte saus van gepelde tomaten, met wat pesto en Parmezaanse kaas. 'Buona sera. Come si chiama?' Mi chiamo Floris. 'Quanti anni ha?' Mille! 'Quanto, mille?' Ti amo, quaranta!

Hij liep met zijn bord de trap op naar boven. Daar dekte hij de tafel. Hij at het liefst in zijn werkkamer die uitzag op de binnenstad. Daar voelde hij zich meer Amsterdammer dan ooit.

Na het eten installeerde hij zich achter zijn pc. Op zijn beeldscherm klikte hij het document aan met de titel 'identiteit.' Meteen iets ingewikkelds. Zijn adagium veronderstelde telkens twee polen, ook wanneer het om identiteit ging: van continuïteit en discontinuïteit. Er stond in zijn aantekeningen een verwijzing bij naar de architectuur. Die was hier inderdaad illustratief. Zo was het geen kunst een renovatieproject in louter restauratie te laten bestaan. Het werd pas spannend wanneer men, zonder de continuïteit met het verleden op te geven, eigentijdse accenten aanbracht en modern en klassiek combineerde tot een nieuwe, spanningsvolle eenheid. Glaswanden en kostbare bouwmaterialen konden daarbij wonderen uitrichten.

Hij klikte op het bestand met de titel Paradox, een van zijn lievelingsonderwerpen. De paradox was onmisbaar om de tegengestelde krachten van zijn adagium te benoemen en bijeen te houden. Hij hield van de paradox als een jongleur van zijn kegels en zou Vivian in ieder geval dit deel van zijn aantekeningen sturen, over de paradox die heden en verleden, zijn en worden, continuïteit en discontinuïteit bijeenhield.

De paradox was *het* instrument om de schalen van zijn adagium te kraken. Het enige bezwaar dat hij kon bedenken was de vraag of de paradox, omarmd als laatste waarheid, de dingen niet ongrijpbaar maakte. Was een 'lichtende waarheid' nog bevattelijk als zij niet ergens in de werkelijkheid landde? Waar eindigde de weg als alle waarheid paradoxaal bleef?

Hij stond op en liep de trap af naar de keuken om een plankje met Franse kaas klaar te maken. Nadenken maakte hongerig. Na een luchtig *ciao* op de drempel liep hij met zijn kaas en een pot thee terug de trap op naar zijn werkkamer.

Soms beleefde hij daar een moment van verlichting, wanneer zijn Latijn zich voor zijn geestesoog ontvouwde als een kleurige waaier. In een vlaag van zielsverrukking meende hij dan, als bij de veren van een pauw, overal hetzelfde thema terug te vinden, dezelfde structuur, dezelfde spanningsbogen en paradoxen.

Zijn adagium was in ieder geval van toepassing op de geschiedenis. Gold van veel bejubelde vooruitgang niet dat de bordjes verhangen, maar de zaken hetzelfde gebleven waren? Continuïteit en discontinuïteit. Ging het er niet steeds om de pendelbeweging aan te wijzen tussen de progressieve en conservatieve krachten in een bepaalde periode, tussen wat werkelijk nieuw was en wat meer van hetzelfde?

Er waren voorbeelden te over. Zo was het christendom uit het Jodendom voortgekomen in een technisch proces waarbij de kerk zich van zijn wortels had willen lossnijden. Toch had men het Oude Testament gehandhaafd.

Het christendom had zich ook proberen los te maken uit de antieke cultuur. Was de breuk daarbij volledig? Keerde het Romeinse bestuur niet terug in de katholieke diocees en Roomse hiërarchie? De stoel van de paus was ondenkbaar zonder de troon van de keizer.

De renaissance was een tijd van vernieuwing geweest waarbij het oude evenmin van tafel was geveegd. Het was een zelfbewuste inhaalslag van belangstelling voor de klassieken. Florence was de bakermat geweest, al probeerde Savonarola er de tijd terug te draaien in een late middeleeuwse eruptie van een strenge boeteprediking. Op het laatst vertoonde zijn optreden de trekken van een orgie en meende hij zelfs het gezag van Rome te kunnen tarten. Dat luidde zijn val in. Florence haalde opgelucht adem toen de rust was weergekeerd en gaf zich met des te groter ijver over aan de nieuwe tijd. Schatten waren er gedolven, evenals in andere steden en vorstendommen op Italiaanse bodem, schatten uit de schijnbaar verzonken wereld van de oudheid die blonken als nooit tevoren.

Maar wel in een nieuwe tijd: in een zich emanciperende wereld van humanisme en renaissance. Ze gaven, versterkt door de reformatie, aanleiding tot een nieuw levensbesef: tot de ontdekking van het individu en een allengs niet meer te keren modernisering, die men in het nieuwe land, het pas ontdekte Amerika, nog eens dunnetjes over had gedaan.

Was Amerika niet Europa opnieuw? Idem aliter: nog eens Europa, maar dan grootschalig, brutaal en robuust. Je vond de immigrantenmentaliteit nog terug in de porties die de restaurants er serveerden. Porties voor een hongerig volk. Opvallend waren ook de plaatsnamen die de pioniers hun nederzettingen gaven. Nieuw Amsterdam, New York, Berlin, Bethlehem: stuk voor stuk bekende en vertrouwde namen, in continuïteit met het achterland, de moedergrond, en – onder puriteinen – de bijbelse geschiedenis.

Vielen hieruit conclusies te trekken? Soetaert liep op neer door zijn werkkamer. Lopend kon hij beter nadenken. Hij bleef staan bij het raam en zag hoe door de overvloedige regen van de afgelopen dagen een sloep langs de kade, waarvan het dekzijl afgegleden was, bijna onder water was verdwenen. Alleen de boeg stak nog boven water. Zo verdwenen er ook dingen in de geschiedenis, om op een ander moment weer boven te komen.

Hij liep naar de kast en zette een cd op. Chopin. Hij zette zich op de bank, sloot zijn ogen en probeerde al luisterend het beeld van de tram kwijt te raken dat nog op zijn netvlies stond.

In zijn jeugd was hij met muziek niet verder gekomen dan een reeks mislukte pianolessen in een beduimeld muzieklokaal waarin de vlekken van de muur sprongen. Bovendien had de muziekdocent op zijn krakende leren schoenen meer aandacht gehad voor zijn sigaar dan voor zijn leerlingen. Later had hij de muziek omarmd als welkome vriend. Bij vlagen was hij een verwoed luisteraar.

Hij dacht aan zijn adagium. Continuïteit en discontinuïteit. Gingen ze ook in de muziek niet samen: harmonie en disharmonie? Hier lagen kansen voor zijn project. In de muziek kon een thema zich ontvouwen langs brede rivieren, over uitgestrekte velden en scherend langs het ravijn, om uiteindelijk, naarmate het slotakkoord naderde, harmonisch te eindigen. Bij Bach ontvouwde dit muzikale spel zich harmonisch en fugatisch, bij Tsjaikowski orkestraal en verfijnd, bij Beethoven en Wagner in alle woestheid en weelde.

De moderne muziek zocht de grenzen van de herkenbaarheid op. Daarbij vond Soetaert het fantastisch te horen hoe ook hier het thema in de meeste gevallen herkenbaar bleef en bij alle gedurfde toonvoering niet verdronk in kakofonie. Als hij als luisteraar al bijna wanhopig geworden was, dook, als het dek van een schip in zwaar weer, de melodie dan toch weer op, als om te verzekeren dat er bij alle verwarring en duisternis in het leven toch een doel en bestemming is.

Op school had hij ook een aantal keren zijn voelhoorns uitgestoken naar zijn onderwerp. Tijdens de pauze en voor en na schooltijd had hij verschillende collega's aangeklampt in het hok dat de naam 'docentenkamer' droeg, maar meer weg had van een chauffeurscafé.

Zijn liefde voor het onderwijs had Soetaert van zijn vader geërfd, een ouderwetse bovenmeester in hart en nieren. De herinnering aan de polders was hem niet bijzonder dierbaar. Als hij zijn ogen sloot, rook hij nog de geur van rottend kroos. Ook de afgetrapte slootwallen, krijsende reigers en blauwgrijze kleigrond stonden in zijn geheugen gegrift. Hij verlangde er niet naar terug. Hij miste af en toe de weidse luchten.

Het gezin had verschillende keren in een bovenmeesterwoning gewoond die grensde aan het kerkplein, net als het schoolgebouw. Het was een bewijs van de pedagogische inslag van het calvinisme. Calvijn had met zijn nadruk op de leer van de kerkbanken schoolbanken gemaakt, of anders zijn opvolgers wel. Vanaf het begin van de reformatie hadden de predikanten in de gereformeerde gebieden in de schoolmeester hun secondant gevonden. Secretaris, voorlezer, hulpkoster, doodgraver, omroeper, notabel, bode, rentmeester: welke taak hadden de bovenmeesters niet behartigd? Soms wel veertig of vijftig jaar lang op dezelfde plek, als constante factor bij het komen en gaan van de predikheren.

In de studeerkamer van zijn vader, waar hij als kind weleens binnenglipte en zich gelukkig voelde, vooral wanneer het zonlicht er, tussen de zware gordijnen door, de dwarrelende stofdeeltjes als in een lichtkegel ving, had hij meer dan eens het ex libris van zijn vader bekeken. 'Graaft en verdiept' stond er voorin al de statige banden op zijn studeerkamer onder de voorstelling van een spittende man, afgebeeld in een sobere houtsnede. Vooral de blinkende spade die hij als bij maanlicht in de grond stak, trok de aandacht. Daar verdichtte zijn arbeid zich en concentreerde zich het blootleggen van verborgen diepten.

Twee gesprekken op school herinnerde Soetaert zich met name. Met de leraar biologie, Erik van Essen, een zwaargebouwde man met borstels van wenkbrauwen, die sinds mensenheugenis op sandalen liep, in een blauwe Fiat rondreed en aan een proefschrift werkte, had hij geanimeerd gesproken over Darwins theorie over het overleven van de soort.

'Weet je, Floris, evolutie is een levensnoodzaak,' had Van Essen hem voorgehouden. 'Biologische entiteiten die niet evolueren hebben minder overlevingskans dan soorten die zich in hun immuunsysteem en genetische huishouding aan hun omgeving aanpassen.'

'Aanpassing is dus vitaal?'

'Exact. Accommodatie is een vitale reflex! In ieder geval in de biologie. We spreken sinds Darwin niet voor niets over 'survival of the fittest', ofwel over de kracht van de aanpassing. Juist die soorten dreigen na verloop van tijd uit te sterven, die niet in staat zijn tot mutatie.'

Soetaert had aan de uitgestorven vogel Dodo moeten denken en was enthousiast ook in de natuurwet zijn adagium terug te vinden. Er bestond kennelijk ook een biologisch idem aliter.

'Bijzonder intrigerend,' doceerde Van Essen verder, 'is in de biologie, als het over de soort en over mutatie gaat, het verschijnsel – of moet ik zeggen hypothese? – van de sprongvariatie. In zijn biologische ontwikkeling kan een bepaalde soort zodanig muteren, dat sprake is van het ontstaan van een nieuwe soort uit de oude.'

'Is dat een vroege of late ontwikkeling?' Soetaert probeerde met Van Essen mee te denken en de juiste vragen te stellen, al begreep hij niet alles wat hij zei.

'Bepaalde primitieve vissoorten maken eerst een mannelijk en daarna een vrouwelijk stadium door. Sommige radardiertjes overleven, diep verborgen in eeuwenoude grotten, zelfs geheel zonder seksualiteit. De natuur is vindingrijk en niet voor één gat te vangen om de soort in stand te houden.'

'Hoe zit het met moderne technieken als van genetische manipulatie?'

'Daar vraag je me wat! Het klonen en bewerken van celmateriaal stelt nog eens indringend de vraag naar de grenzen van onze manipulatie van de natuur.'

'In welk opzicht?'

'Nou ja Floris, wie kan de consequenties overzien van het spel van biologen met de wetten van de soort? De discussies hierover, met name in het conservatieve Amerika, zijn niet van de lucht.'

'Er kleven gevaren aan?'

'De fundamentele vraag is of in naam van de wetenschap steeds verder moet worden doorgedrongen in de grondslagen van het leven. Of technische beheersing het doel is.'

'Er zijn grenzen...'

'Het gevaar is reëel dat de mens zich met al zijn kennis en techniek in eigen vlees snijdt. Vergiftiging, genetische wildgroei, degeneratie en het kweken van ziekten kunnen het gevolg zijn.'

Zo had Van Essen hem veel duidelijk gemaakt.

Met Beau, zijn collega kunstzinnige vorming, had Soetaert gediscussieerd over navolging en zelfstandigheid in de kunst.

'Is het niet zo,' had hij haar op een warme vrijdagmiddag na schooltijd in haar leslokaal aan het eind van de gang op de tweede verdieping gevraagd, 'dat alle moderne meesters, van Mondriaan tot Picasso, zich eerst het klassieke repertoire eigen hebben gemaakt en de moderne kunst uit de klassieke is voortgekomen?'

'Hoor ik iets van een oordeel over de moderne kunst in je woorden, een bepaalde vorm van conservatisme?'

Met Beau was het discussiëren op het scherp van de snede. Zij had een uitgesproken mening.

'Ik las ergens dat de introductie van de abstractie in de schilderkunst, in het kubisme, op een transformatie van de figuratieve kunst berustte, op het principe van idem – aliter, dan wel een sprongvariatie op een voorgegeven traditie.'

Hij had geprobeerd zijn vraag voorzichtig te formuleren, maar Beau reageerde als gebeten.

'Dat is een reactionaire opvatting! Moet het referentiepunt nog altijd in een dominante mannelijke kunsttraditie gezocht worden? Alsof er geen moderne kunst bestaat.

KUNST met hoofdletters, als uitdrukkingsvorm van het geëmancipeerde individu! Niet de traditie, de vrijheid van de kunstenaar is het uitgangspunt. Eindelijk! Na zoveel eeuwen. Artistieke vrijheid!'

Hij had geprobeerd iets tegen haar uitval in te brengen, maar daarmee slechts olie op het vuur gegooid. Hierop gaf Beau hem de volle laag.

'Wat weet jij eigenlijk van moderne kunst, Floris? Houd jij het bij je eigen stoffige vak. Je moet *zelf* 'hetzelfde' maar eens 'anders' zien: geschiedenis uit het perspectief van de onderdrukten, vrouwen en kinderen voorop. En nu mijn lokaal uit!'

Hij luisterde naar de klanken van het pianoconcert totdat ze verstomden. Daarna stond hij op, liep naar de keuken en pakte twee mandarijnen van de fruitschaal. Terug op zijn studeerkamer zette hij zich achter zijn werktafel, pelde de mandarijnen, legde ze voor zich neer op tafel bekeek ze. Ze waren precies hetzelfde, maar toch verschillend. Hij knikte goedkeurend.

De eerste stof die hij opgedoken had tijdens zijn speurtochten in de bibliotheek betrof twee van de oudste filosofen, Parmenides en Herakleitos. Kon hij op het symposium hun filosofie niet even hapklaar presenteren als zijn mandarijnen? Hij wilde graag een plaatsje voor ze inruimen naast Homerus en Vergilius, de iconen van het gymnasium, wier granieten bustes het trapportaal van de school bewaakten. Met Parmenides en Herakleitos zou het lustrumprogramma terugreiken tot het begin van het westerse denken!

Parmenides geloofde in een eeuwig goddelijk zijn dat (idem – idem) niet van zichzelf verschilde, geen beweging kende en geen ontwikkeling doormaakte. Bij Parmenides rustte het zijnde volmaakt in zichzelf, zoals de zon in het midden van het heelal.

Herakleitos was een dynamisch denker. Hij stelde zich het zijnde (aliter – aliter) juist als beweging voor: als een warme en vitale vloedstroom, die al het bestaande doortrok en per definitie van zichzelf verschilde.

Hegel kleurde de filosofie van Herakleitos idealistisch in toen hij in de 19^e eeuw de bakens van het vooruitgangsgeloof uitzette. These en antithese baren samen een nieuwe synthese. Zo manifesteerde de wereldgeest zich volgens Hegel in de historische ontwikkeling. De barbarijen van de twintigste eeuw hadden ruw een streep gezet door zijn theoretische optimisme. In de werkelijke geschiedenis bleken veel tegenstellingen onoverbrugbaar. Veronderstelde progressie leidde tot humane inflatie. De industriële revolutie, de evolutieleer en idealistische revoluties in heel Europa beloofden gouden bergen, maar leidden tot een alles verscheurende oorlog. In de loopgraven was gebleken wat alle optimisme waard was geweest. Het vooruitgangsgeloof was er in de modder gesmoord.

Hij at zijn mandarijnen op, wierp de schillen in de prullenbak en liep terug naar het raam. Op straat bewoog zich een fietser voort. Zijn bagagedrager rammelde bij iedere ongelijkheid in het wegdek. Van een achterlicht geen spoor. Bij een boomperk aan de overkant liet iemand zijn hond uit. Met tussenpozen lichtte de punt van een sigaret op. Het waren rustgevende beelden, maar ze gaven Soetaert geen rust. Hoe moest hij alle stof die hij verzameld had in drie dagen tot een eenheid smeden, tot een programma waarin de rector en de lustrumcommissie brood zouden zien?

Hij richtte zijn blik op de maan boven de daken.

Opeens daagde het hem. Natuurlijk! Idem aliter: dat zou behalve zijn werktitel de titel van heel het symposium moeten zijn. Een titel met kansen! Oud-leerlingen die op de reünie zouden afkomen, zouden denken dat het Latijn sloeg op het schoolleven dat zich gedurende 150 jaar vernieuwd had, terwijl het gymnasium was gebleven. Het sloeg ook op de reünisten zelf, die hun oude school, de lokalen, gangen, gymzalen en hun klasgenoten anders zouden aantreffen dan vroeger. Maar het ging om meer dan de platitude van de snelle herkenning. Die zou de rector wel in zijn openingsspeech verwerken. Nu hij de kans kreeg met een aansprekend programma bij te dragen aan zijn onderwijsidealen, moest hij deze kans verzilveren. Op het lustrum konden diverse docenten en gastsprekers verschillende betekenislagen van zijn adagium blootleggen en exploreren.

Dezelfde anders. Dat kon het Latijn ook betekenen. Zijn wij het product van onze omgeving of zelfstandige individuen? Geconditioneerd of een onbeschreven blad? Er waren bibliotheken over volgeschreven. Hume, Locke en Rousseau hadden er al het hunne over gezegd.

Soetaert zelf had vaak een dubbel gevoel als het over authenticiteit ging. Individualiteit was niet het belangrijkste. De maskers bij de Griekse tragedie waren al inwisselbaar en maakten duidelijk dat veel zogenaamde individualiteit in werkelijkheid een vorm van maskerade was. Bestond het menselijke bedrijf niet grotendeels uit functioneel theater? Politici die elkaar in de vergaderzaal pijnigden, gingen daarna samen een hapje eten.

Hij wilde helder onderscheiden. Assertiviteit was geen waarborg voor karakter. Het deed hem denken aan discussies in de letteren, aan de Vijftigers, die genialiteit niet langer zochten in het sublimeren van de vorm, zoals dichters als Leopold en J.C. Bloem nog hadden gedaan, maar in de durf tot subjectiviteit. Ging men mee in dit verzet tegen de conventie, dan kon men daarna alleen nog bang zijn voor karakterverlies.

Waren zo de jaren zestig niet geboren, waarin identiteit niet langer gezocht werd in het kader van een bestaande orde, maar in het ontwikkelen van eigenzinnigheid? Maar hoeveel groepsgedrag had zich doen gelden toen men collectief uit de lijst van voorgaande generaties was gestapt? Had de nadruk op het individu niet tot nieuwe fixaties geleid?

Hoewel hij er verstandig aan deed zijn krachten te sparen en naar bed te gaan, zette Soetaert zich nog een laatste keer achter zijn bureau. Idem aliter. Het was ook voer voor theologen geweest. Bij zijn queeste naar de heilige graal, naar de parel die de schalen van zijn Latijnse motto als de schelpen van een oester verborgen hielden, wilde hij ook de theologie betrekken.

Over de kwestie was in de eerste eeuwen rond de oecumenische concilies het nodige te doen geweest. Hoe konden Vader, Zoon en Geest van elkaar verschillen en toch één zijn? Op deze vraag had het concilie van Nicea een antwoord willen geven.

Bisschop Athanasius was de grote man achter het concilie. Hij was niet de eerste de beste, al werd hij in brede kring gehaat en had hij zich, vrezend voor zijn leven, verschillende keren onder de monniken in de woestijn moeten schuilhouden. Als een mug in de slaapkamer was hij de dood een aantal keer ternauwernood ontsprongen. Maar zijn Paasbrieven werden overal gelezen en hij had groot gezag.

Halverwege de vijfde eeuw was op het concilie van Chalcedon, een Byzantijns havenstadje aan de Bosporus, de beroemde twee-naturenleer afgekondigd, die het mysterie van Jezus' god-zijn en mens-zijn leerde en wilde eerbiedigen. Er was politieke druk geweest van de keizer om tot een compromis te komen in een controverse die het rijk verdeelde. De christelijke religie als politiek bindmiddel. Dat hadden de Romeinse keizers met hun heidense ziel al snel begrepen toen de failliete inboedel van de antieke cultuur werd opgemaakt. Druk was er ook geweest van de kant van fanatieke orthodoxen. Wie kon zich desondanks aan de bekoring van Chalcedon onttrekken? Had het concilie met zijn *vere deus, vere homo* (het idem aliter van de kerk) de paradox van het geloof niet briljant – met één komma – op begrip gebracht?

Aan het eind van zijn Latijn besloot Soetaert naar bed te gaan. Er restten nog drie dagen voordat hij vrijdagmiddag met Vivian de trein naar de provincie zou nemen. Vrijdag rond het middaguur verwachtte de rector zijn stukken.

Hij was benieuwd naar het weekend en moest proberen fit te zijn. Waarom treuzelde hij dan nog? Zijn gedachten leken, anders dan de wielen van de trein, nooit stil te staan. Het was steeds weer hetzelfde. Of was het dit keer anders?

In zijn droom reisde hij al met de trein. Hij gleed weg in een ander bewustzijn en zag een gedekte tafel voor zich, een feestelijk banket met pratende gasten. Het bleek een samenkomst van zijn artsen en doctoren van het afgelopen jaar, die proostten op zijn gezondheid, verbaasd elkaar te ontmoeten.

Toen hij in zijn droom uit het venster van de trein naar buiten keek, zag hij hoe zich in de straat bij het station juist een begrafenisstoet in beweging zette.

3 | Dualisme

'Proeven jullie hoe die Nieuw-Zeelandse sauvignon in de derde fles, hoe geurig ook bij eerste kennismaking, toch niet de frisheid heeft van de Franse in fles twee met zijn kenmerkende lichte appeltinten? We zullen straks zien hoe Zuid-Afrikaanse variaties de frisheid van de noordelijke Franse wijnen evenmin benaderen. Daarvoor komen ze uit een te warm gebied. De Fransen noemen dit gebrek aan frisheid 'pipi du chat': kattenpis. Ze hebben geen ongelijk. Een fruitige vouvray of chablis met mooie ronde zuren verslaat nog altijd een wijn als de inmiddels wereldwijd populaire Steen uit Zuid-Afrika die je proeft in fles vier, typische consumptiewijn die ook in jaargang nauwelijks variëteit biedt. Noem het clichéwijn, de Kaapse wijn in het goedkope segment. Klinkende namen en kleurrijke etiketten, maar weinig eigenheid en diepgang.'

Vivian zat aan het hoofd van de lange proeftafel in haar woonkamer. Aan weerszijden zaten haar cursisten. Aan het andere uiteinde zat Hans, de minst geschikte cursist. Deze donderdagavond was de laatste in een reeks van zes avonden. Daardoor kon ze dieper op de stof ingaan dan normaal.

Ze had voor het wijnvak gekozen uit gevoel voor traditie, vakmanschap en kwaliteit en er haar baan als studiecoördinator aan de universiteit voor opgegeven. Wijn was een edel product en vinificatie een eeuwenoud cultuurgoed. In Mesopotamië, waar de zon dagelijks zijn baan trok langs de hemelkoepel en de goudaders van de Eufraat en de Tigris voor vruchtbaarheid zorgden, werd 7000 jaar geleden al wijnbouw gepleegd. Inmiddels werd de markt overspoeld door massaal geproduceerde wijnen uit de 'nieuwe wereld': uit landen als Australië, Nieuw-Zeeland, Amerika, Chili, Uruguay en Zuid-Afrika. De meeste daarvan konden de vergelijking met hun Franse voorbeeld niet doorstaan. Er zou altijd dualiteit blijven met de aristocratische Franse wijnen die waren opgevoed op eeuwenoude *terroirs* die men nergens elders zo aantrof. Strenge wetgeving, het gebruik van voorgeschreven druivensoorten en bijzondere klimatologische omstandigheden deden de rest.

Bij haar overstap naar het wijnvak was kwaliteit het sleutelwoord voor Vivian geweest. De slonzigheid van het studentenleven was haar steeds meer tegen gaan staan. Er moest orde en discipline zijn om van kwantiteit tot kwaliteit en van massa tot selectie te komen.

'Wordt wijn echt beter als hij in een wijnkelder bewaard wordt?' Marijke, die vlak naast Vivian zat, stelde de vraag. Ze was een oplettende cursist, zij het nogal perfectionistisch.

'Wie wel eens in de koude en vochtige kelders van een wijngebied als de Touraine geweest is en de muren vol mineralen gezien heeft, weet dat daar geen koelcel of sulfaat tegenop kan. De Franse wijnboeren kennen beter dan wie ook het basale dualisme van de wijnbereiding: vaak wordt vergeten dat de lucht, het licht en de zon, die essentieel zijn voor de druif, de vijand zijn van de wijn. En ja, wijn neemt ook mineralen uit de omgeving in zich op.' Ze zag hoe Marijke haar antwoord met een groene fineliner noteerde in haar precieze handschrift.

Ze was tevreden over haar proefavonden aan huis. Het organiseren ervan was gemakkelijk. Ze onderhield een kring van kennissen en wijnliefhebbers die ze per e-mail uitnodigde en van wijnadviezen voorzag. Het werken met volwassenen in de avonduren, naast haar inkoopactiviteiten voor een warenhuis overdag, beviel haar goed, al kwam er soms iets balorigs in de cursisten naar boven naarmate de alcohol zijn werk deed op een avond. Vooral Hans kon er wat van. Hij was overdag accountant en leefde zich uit op de cursus. Hij wilde alle wijnen proeven, dat wil zeggen doorslikken. Als hij te veel gedronken had, begon hij algemeenheden uit te kramen zoals: 'als je het mij vraagt smaakt al die wijn eender' of: 'je ziet er weer fantastisch uit vanavond, juffie.' Hans was een vervelende klier.

Vivian beschouwde het als haar verdienste wanneer haar cursisten zich amuseerden met alleen in het late uur een toets van luidruchtigheid, beschaafd nog altijd.

Beschaafde luidruchtigheid. Terwijl de cursisten hun oefeningen maakten bij de witte wijnen en ze leunend op haar ellebogen voor zich uit keek over de tafel, bedacht ze dat het een uitdrukking was die paste in haar jargon. Zo was een krachtige druif als de syrah met zijn kruidige, dieprode sappen beschaafd luidruchtig in staat ook de saaiste wijn spannend te maken en te peperen.

'We gaan zo over op de rode wijn. Voor deze slotavond heb ik aantal bijzondere wijnen geselecteerd. De vorige keer heb ik jullie al iets verteld over het assembleren van wijn.'

'Assembleren. Ja. Net als bij auto's: een Mercedes uit Polen, voor iedereen betaalbaar. Lachen.'

Vivian negeerde de opmerkingen van Hans en probeerde haar irritatie te verbergen.

'Bij het assembleren zoekt een wijnproducent naar een afgewogen *blend* van verschillende druivensoorten, waarbij hij gebruik maakt van hun specifieke eigenschappen, variërend van robuustheid tot elegantie. Het zoeken naar evenwicht tussen verschillende smaakonderdelen geeft gemengde wijnen iets extra's, al zijn er ook oplichters onder de négociants. Er wordt soms flink gerommeld met bulkwijn en etiketten.'

'Worden alle wijnen gemengd?' Marijke meldde zich nog een keer, dit maal met een onnozele vraag. Ze hield haar pen in de aanslag en keek Vivian verwachtingsvol aan.

'Nee, niet elke wijn wordt gemengd. Zeker niet. Jullie kennen uit het Franse assortiment al beproefde cépages – wijn van één druivensoort – zoals de beaujolais. Onder de bourgognewijnen zijn ook prachtige variëteitswijnen, waarin slechts één druivensoort is verwerkt. Een druif als de pinot noir met zijn pure en verleidelijke fruitsmaken heeft genoeg aan zichzelf en is, anders dan de strakke cabernet sauvignon, ook prima in staat zijn omgeving in zich op te nemen. Dat kan ook de mourvèdre, een sensitieve en nerveuze druif, die allerlei vegetatieve aroma's zoals tijm, dille, hysop en marjolein in zich opneemt. Ook één druivensoort kan dus flink wat diversiteit bevatten. Ik ken smaakvolle wijnen van 100% syrah, die allemaal weer anders smaken en jaren nodig hebben om open te gaan. Als ze daartoe de kans krijgen, op hout. In roestvrijstalen cilinders wordt hun agressie opgesloten.'

'Bij sommige wijnen uit de nieuwe wereld wordt het gebrek aan kwaliteit op geraffineerde wijze gecamoufleerd. Vindt het rijpingsproces plaats in metalen cilinders, dan worden er matten van eikenhout in gehangen om het tekort aan oorspronkelijkheid te ondervangen en de wijn snel body te geven. Wijn kan wachten, de markt niet.'

Vivian hoorde dat ze doceerde. Ze vond het veel leuker met de cursisten in gesprek te zijn. Daarom richtte ze zich op de proeftafel.

'Als jullie nog even naar de twee laatste flessen wit kijken: proeven jullie hoe het toegevoegde hout de Chileense chardonnay bij eerste kennismaking eenzelfde vanillerijke en balsemachtige smaak geeft als de bourgogne, maar dat de diepgang bij de afdronk uitblijft?'

'Ik proef geen verschil. Volgens mij smaken ze precies eender.' Deze opmerking kon alleen van Hans komen.

'Hans, jij proeft geen verschil?'

'Nee, dat zeg ik, het is dat er een ander etiket op zit, anders zou ik geen verschil zien.'

Vivian had zin hem op zijn nummer te zetten, maar besloot hem voorlopig nog te negeren.

'Anderen? Wie heeft gemerkt dat de neus van beide wijnen op elkaar lijkt, maar de smaak en de afdronk beduidend anders zijn?'

'De smaak van de bourgogne blijft langer hangen.' Ze was blij dat Theo er was. Hij werkte bij een drukkerij, was ooit aan een priesteropleiding begonnen en had aanleg voor wijn. Misschien gingen die twee samen.

'Inderdaad. Ik denk dat je gelijk hebt. De bourgogne heeft meer kwaliteit. Waar heeft dat mee te maken? Hoe kom je tot kwaliteit?'

'Ik zou het waarachtig niet weten.' Hans mompelde zijn

opmerking met zijn boerenverstand net hard genoeg voor zich uit om Vivian opnieuw te ergeren. Het ontging haar niet dat hij brutaal achterover wipte op een van haar tuinstoelen uit de serre.

'De selecte Franse wijn wordt beschermd door strenge wetgeving. Daaraan stoort men zich niet in de nieuwe wereld. Daar waakt geen *Institut National des Appellations d'Origine* over de beste wijngaarden en druivensoorten. Monotonie is de prijs. In de nieuwe wereld is kapitaal, maar originaliteit is niet te koop. Originaliteit is ook niet te imiteren, maar het resultaat van geduld, vakmanschap en van juridische, kwantitatieve en klimatologische beperkingen. Niet uit geforceerde fermentatieprocessen met pompen, centrifuges, vriesinstallaties, sulfaat, filters, klimaatbeheersing en chemicaliën komt de beste wijn voor de dag. De beste wijn wordt in de verdrukking geboren. Dat is de paradox. Sterilisatieprocessen leveren een clean, maar geen diep aroma op; een volle mond, maar geen levende kern. Hoe minder je aan een wijn sleutelt, hoe meer hij zijn vitaliteit zal behouden. Selectie, harde bodems en natuurlijke rijpingsprocessen vormen de beste garantie voor kwaliteit.'

Daarmee had ze haar stokpaardje bereden. Kwaliteit was de sleutel. De meeste cursisten pikten haar boodschap niet op. Het bleef haar verbazen dat ze bij het invullen van de bestellijsten toch weer gewoon voor de toegankelijke *vins de tables* kozen. Rijk zou ze niet worden als vinoloog. De sommeliers in de dure hotels en restaurants verdienden aan hun adviezen. Een dergelijke setting trok haar niet. Op de een of andere manier lukte het haar niet de combinatie te leggen tussen wijn en dure tapijten, fluisterende gasten en exclusieve contracten. Ze hield van het basale contact met de wijnboeren, van gesprekken in de keuken en in krappe oude wijnkelders, zoals in de Côte d'Or, waar elk dorp en elke wijnboer vol trots zijn eigen smaak produceerde.

'Moet ik nu de Chileense of Franse chardonnaai invullen op de bestellijst? Zeg jij het eens Viv. Het scheelt koud effen drie euro vijfentwintig de fles.' Hans stond opeens naast haar met zijn dikke vingers en bezwete, vlezige gezicht. Ze rook zijn adem en had geen grotere hekel aan hem dan op dit moment. Dit was haar gelegenheid om terug te slaan.

'Laat eens kijken, Hans.'

Ze hield een schuin oog op de groep en zorgde ervoor buiten gehoorsafstand te blijven.

'Weet je, in jouw geval zou ik zeggen: houd die drie euro vijfentwintig maar koud in je portemonnee. Die Franse chardonnay is niet aan jou besteed, dat is zeker. Ik zou de Chileense nemen. Maar je kunt natuurlijk ook gewoon kraanwater drinken.'

Aan het ongeloof waarmee de boekhouder haar met grote ogen en opengevallen mond aanstaarde, beleefde ze nog dagenlang plezier.

Na een proefavond wachtte de volgende ochtend het opruimen van de glazen, flessen, tafels en stoelen, broodresten en schrijfmaterialen. Vivian had er geen hekel aan. Het resultaat was zichtbaar. Langzaam kwam haar eigen woonkamer weer tevoorschijn. Ze vond het evenmin vervelend de wijnglazen te wassen, spoelen en af te drogen met een schone linnen doek. Glaswerk was essentieel. Dezelfde wijn smaakte in een groot glas voller, doordat hij kon ademen en zijn aroma's de kans kregen.

Deze ochtend stond ze opnieuw in de keuken. Ze liet de glazen door haar handen glijden en genoot van de stilte in huis. Ondertussen dacht ze aan haar kennissen. Onder hen was er ook een schaal variërend van vlotte toegankelijkheid tot karaktervolle ondoorgrondelijkheid. Ook mensen rijpen met de jaren. Aanvankelijke stroefheid kon daarbij winst blijken. Prudente terughoudendheid beloofde meer dan schreeuwerig narcisme. Dat was haar ook onder de studenten opgevallen. Degenen die het minst klaagden, behaalden de beste resultaten.

Ze dacht aan haar ouders die thuis, misschien wel vanwege de handige schroefdop, alleen zoete Spaanse wijn dronken. Ze kon zich niet herinneren thuis ooit een kurk te hebben horen knallen. Bij hoge uitzondering werd er, op zondag of tijdens feestdagen, wel eens een glaasje notenwijn geschonken; kleverige Karmelwijn die nauwelijks te drinken was, maar wel rechtstreeks uit het beloofde land kwam.

Dan kon je vanaf de Karmel beter langs de kust omhoog rijden naar Libanon, waar de Bekavallei zich als een biljartlaken uitstrekte tussen het gebergte aan weerszijden en niet alleen papavervelden en de beste opium ter wereld voortbracht, maar ook prachtige wijnen als de kefraya, hochar en musar. Via contacten in Londen had ze altijd wat Libanese wijn op voorraad, waaronder een strogele 'gouden traan'-wijn. De naam verwees naar de rijke Beka, maar ook naar de burgeroorlog in het land met zijn majestueuze ceders en oude Franse connecties.

Vóór haar overstap naar het wijnvak had ze door hard te werken haar baan op de universiteit gecombineerd met haar opleiding tot vinoloog. Haar verhuizing naar het platteland was de bezegeling van haar overstap. Het deerde haar niet dat sommigen haar afkeer van de stad elitair vonden. Je moest de argumentatie omkeren. Zonder kwaliteitsbesef was het woord aan de massa. De prijs daarvan was hoog. Zo zou de wereld nooit meer schoon worden. Op het station kon ze haar ogen niet afhouden van de ontelbare teer- en kauwgomvlekken die als huidvraat de perrons besmeurden, geflankeerd door overvolle prullenbakken en rondslingerend plastic. In de stad gruwde ze van het zwerfafval op straat, het lawaai en de vieze geuren. Ze was blij dat ze de massaliteit van de stad had verruild voor de rust van het platteland.

Ze verheugde zich op het weekend met Beau en Floris. Om kwart over twee vertrok haar bus naar het station. Daar zou ze de trein nemen naar de stad, vanwaar ze samen met Floris verder zou reizen. Ze was benieuwd hoe Beau het er in haar rol van gastvrouw vanaf zou brengen. Het plan van hun *rencontre à trois* was tamelijk hachelijk. Wat moesten ze met z'n drieën een weekend lang buiten de bewoonde wereld in de stacaravan van Beau?

Floris zou hen op zijn denkbeelden trakteren. Daarvan had hij er altijd wel een paar op voorraad. Met hem erbij hoefden ze niet bang te zijn voor gebrek aan gespreksstof. Ze voelde zich nerveus bij de gedachte hem te ontmoeten. Los van de problemen met zijn ogen, waar ze het fijne niet van wist, vroeg ze zich af hoe het weekend met hem erbij zou verlopen. Zij was degene geweest die hem op afstand had gehouden na hun ontmoeting tijdens een zwoel zomers feest in de duinen ter gelegenheid van het verlate doctoraalexamen van Beau. Beau was Floris' collega op het gymnasium en kunsthistorica, maar volgens hem minstens zoveel 'kunsthysterica.' Het was een vreemde combinatie, die twee. Docent op dezelfde school, maar daar hield de overeenkomst ook meteen weer op.

Floris leefde van zijn ontdekkingen. Hij was een man van beschouwingen. Dat filosofische aan hem waardeerde ze.

Ze hield van diepgang en moest vaak om hem lachen. Het moest bijzonder zijn zoveel ingevingen te hebben. Aan gist op de fles ontbrak het hem niet. Er borrelde altijd wel iets in hem op. Hij zou alleen beter moeten leren timen, zoals Julius, haar kat, die precies wist wanneer hij zich stil moest houden en wanneer hij moest toeslaan om een vogel, mol of muis te verschalken. Floris zou zijn ideeën meer moeten laten bezinken op de tannine van zijn geduld, dacht ze, terwijl ze de glazen een voor een weer in het gelid stelde in de kast.

Het verbaasde haar dat hij zich op school staande wist te houden. Kennelijk was hij in het klaslokaal te midden van zijn leerlingen wel bij de les, om daarbuiten zijn gedachten de vrije loop te laten. Buiten schooltijd was hij een soort projectontwikkelaar, altijd in de weer met nieuwe ideeën.

Hun ontmoeting een paar weken geleden berustte op toeval. Om de zoveel tijd ging ze naar de boekhandel om nieuwe wijnliteratuur te bestellen. De laatste keer was ze er tegelijk met Soetaert. Bij een van de schappen liepen ze elkaar tegen het lijf. Ze wist zich geen houding te geven en had hevig gebloosd. Gelukkig raakten ze aan de praat, beiden met een stapel boeken onder hun arm. Aan het eind van het gesprek stelde hij voor samen iets te gaan drinken in de stad. Het was stralend weer en het terras dat ze vonden nodigde uit tot gesprek. Ze hadden er de rest van de middag gezeten. Soms had ze daarbij een moment van harmonie gevoeld, een aangename herinnering aan vroeger. Ondanks de lange tussentijd voelde ze sympathie voor zijn nabijheid. Ze moest zich vergissen als dit gevoel niet wederzijds was.

Vlak daarop kwam bij Beau thuis, bij wie ze die avond gegeten had, het idee van het gezamenlijke weekend op.

Vivian kende Beau van haar eerste wijncursus in de stad. Sindsdien hadden ze contact gehouden. Soms combineerden ze wijn en kunst op *special evenings*, waarop Beau de virtuele wijnreis die Vivian had uitgestippeld illustreerde met oude en nieuwe kunst uit de betreffende streek.

Tijdens hun gesprek over een gezamenlijke weekend in de provincie was onverhoeds de naam van Soetaert gevallen. Na een paar glazen wijn werd het idee geboren hem uit te nodigen om mee te gaan. Daarbij hadden ze voor hem in hun fantasie de rol van 'conferentieleider' bedacht. Dat paste bij zijn kwaliteiten. Beau moest aan het idee wennen, maar was er met Vivian van overtuigd dat je iets aan Soetaert had als je hem gericht mobiliseerde. Op school was hij een van de weinigen die kritische vragen stelde bij de plannen van het management, de budgetverdelingen, identiteit en pr van de school. Dat waardeerde ze in hem, al hadden ze heel andere opvattingen.

Toen ze klaar was met opruimen had Vivian nog tijd over om verder te lezen in de stukken die Floris haar gestuurd had. Hopelijk waren ze minder ingewikkeld dan die van gisteren.

Ze bewoonde een licht en vrijstaand huis uit de vijftiger jaren, voorzien van een serre, kelder en een flinke tuin rondom. Aan de achterkant had ze vrij uitzicht over de polder.

Aan de leesstof die Floris haar gestuurd had, had ze een gevoel van beklemming overgehouden. Soms kon ze hem nauwelijks volgen, zoals in de passage waarin hij schreef 'dat wij hetzelfde voortdurend anders moeten zien en bewust dualiteit moeten creëren om het perspectief van potentiële ontwikkeling open te houden.' Het waren raadselachtige woorden. Soms begreep ze niets van wat hij zei.

Ze zocht liever de psychologie achter de dingen en had niet voor niets tien jaar bij Sociale Wetenschappen gewerkt. Maar misschien overvroeg ze Floris' teksten en waren het alleen aantekeningen. Misschien had zij hem onder druk gezet toen ze belde en had hij snel een paar teksten bij elkaar gegrist.

Onder de titel 'Dualisme' schreef hij: 'Peilt men de grondspanning van de condition humaine, dan is sprake van een blijvende kortsluiting. De geschiedenis van de 20e eeuw heeft genoegzaam de illusie van de vooruitgang bewezen, de utopie van politieke ideologieën en de fictie van een ongerept mens-zijn.'

Het waren boude beweringen, grofmazig en ongenuanceerd. Hoe kwam hij erbij? In het vervolg verdween de zon nog verder achter de wolken. Volgens hem was het waar 'dat de mens alles onder controle heeft, behalve zichzelf, al durft niemand dit hardop te zeggen, omdat wij liever geloven in onze collectieve illusies.'

Ze pakte haar pen op. 'Optimisme is een kracht!' schreef ze bij zijn tekst in de kantlijn. Vinnig. Ze was het volstrekt met hem oneens. Wie zichzelf trouw bleef en zich de volwassen gewoonte eigen maakte zijn gevoelens te analyseren, hoefde er niet door te worden meegesleurd. Nietzsche mocht de *Wille zur Macht* aangewezen hebben als diepste menselijke drijfveer en Freud met zijn studies hebben aangetoond dat er een fundamentele onrust ten grondslag ligt aan de mens, dit betekende nog niet 'dat krachten uit de onderbuik ieder moment in de mens kunnen losbreken en in de kelder van de beschaving het monster rammelt aan de ketting.'

Ze schoof zijn stukken van zich af en besloot eerst koffie te drinken. In vrijheid en zonder monsters. In haar kelder stonden schappen met wijn. Ze dronk haar koffie met een

geklopte schuimkraag, besneeuwd met kaneel en kandij-
suiker. Zo joeg je de somberheid weg. *Make it yourself com-
fortable.* Daar was Floris niet goed in, vreesde ze. Zijn stukken deden haar denken aan de intellectuele diepzeeduikers
waarvan ze er op de universiteit te veel had meegemaakt.
Ze gaven niet om pauzes, grenzen of comfort. Halve com-
munisten waren het, voor wie alleen de ideologie telde, niet
de omgeving. Ze stonden alleen in contact met de magma-
haard van hun preoccupaties. Een vulkaanuitbarsting was
dan een ramp.

Zo herinnerde ze zich een Duitse gasthoogleraar uit
Hamburg die na een ellenlang verhaal in een benauwde
collegezaal niet eindelijk zijn mond hield, maar zijn broek
ophees en nog een half uur doorging, terwijl de mussen
buiten van het dak vielen van de hitte en de zaal platgesla-
gen en half in slaap was onder zoveel geweld.

Met haar mok in de hand keerde ze terug naar de serre,
waar ze Floris' stukken had achtergelaten. Ze installeerde
zich opnieuw achter haar glazen tuintafel. Zijn tekst met de
titel 'Genesis' handelde over de vraag wat onder het begrip
'schepping' moest worden verstaan.

'Eeuwenlang heeft men gemeend in Genesis scheppings-
ordeningen aan te treffen, die de uitbuiting van de aarde en
de koloniale overheersing sanctioneerden. Van de slaven-
handel (Sem zal zijn broeders dienen) tot de strijd tegen
de vrouwenemancipatie (met Eva is de zonde in de wereld
gekomen), zocht men in dit bijbelboek een bevestiging van
de bestaande maatschappij en meende men er een vaste
wereldorde in te herkennen naar hemelse ordening.'

Deze lezing berustte volgens hem op inlegkunde: 'Maar
het is kritische joodse literatuur. Een poging tot bestaans-
verheldering in de crisis van de Babylonische ballingschap,

volgend op de verwoesting van Jeruzalem. De eerste elf hoofdstukken van Genesis handelen niet over een vaststaande wereldorde, maar over de fataliteiten van het leven: over begeerte en vloek, jaloezie en doodslag, schuld en zondvloed en een mislukte poging om de hemel te bestormen.'

De toon was zwaar en ze stoorde zich aan het woord *fataliteiten* in zijn tekst. Het punt dat hij wilde maken was 'dat Genesis geen positieve wereldbeschouwing of een blanco mensvisie aanreikt, maar de meest fundamentele dualiteit in het leven aan het licht brengt: die van de mens die sinds de zondeval in tegenspraak verkeert met zichzelf, ongeacht de vraag of we het paradijsverhaal historisch of literair moeten interpreteren.'

Rembrandt zou deze essentie van Genesis in zijn schilderkunst hebben vastgelegd door licht *en* schaduw te werpen over mens en wereld. 'Hij schildert op de rand van het tragische, maar blijft ook ten aanzien van de chaos in zijn eigen leven in het wonder geloven dat de dappere joodse priester bezingt in de nacht van de ballingschap: dat het licht van de nieuwe dag geboren wordt uit de duisternis, heel de geschiedenis door.'

Vivian was benieuwd wat Beau van zijn tekst zou vinden. Ze vreesde dat zij zou menen dat hij de zaken mystificeerde.

Een fan van Guido Gezelle was hij evenmin.

'De poëzie van Gezelle laat zien dat het zwijmelen bij de natuur, waarom het in Genesis *niet* gaat, onuitroeibaar is. Voor theologie en filosofie zijn natuurbeschouwingen tijdverlies. Het gaat om andere dingen dan een ongedefinieerd "mij spreekt de blomme een tale." Genesis proclameert de val van de mens, meer dan zijn glorie, hoezeer Michelangelo ook geprobeerd heeft haar te vangen, toen hij liggend op zijn rug vloekend en stofhappend zijn fresco's aanbracht op de plafonds van de Sixtijnse kapel. Ondanks de bewondering voor zijn artistieke prestatie en de pauselijke goedkeuring ervan, is dit niet Genesis. Dat stelt niet de grandeur, maar de gevallen adel van de mens aan de orde.'

Het duizelde haar. Van theologie had ze geen verstand. Bovendien was het tijd om te gaan.

Ze verzamelde haar papieren, bracht haar mok naar de keuken en liep de trap op om haar tas te pakken. Ze vroeg zich af of Floris de consequenties van zijn standpunt overzag. Als Genesis niet over de natuur mocht gaan – dat begreep zij eruit – waartoe leidde dit dan? Ze had het idee dat hij met zijn interpretatie een vacuüm *creëerde*. Als er geen goede schepping bestond jenseits von Gut und Böse, zoals hij schreef, omdat alles te vangen was onder het motto *paradise lost*, waren tragische conclusies dan te vermijden?

Na afloop van een proefavond in een klooster ergens in het zuiden van het land had ze een keer een spreuk meegekregen die haar meer aansprak. Op het bord dat de prior haar overhandigde en dat nu thuis in de schuur hing stond in sierlijk krulletters: 'Genade volmaakt de natuur.' Daar geloofde ze meer in. Een goede arts liet, net als de goede wijnmaker de natuur zijn werk doen. Dan mocht je rekenen op een glimlach uit de hemel: als het zonder kunstgrepen toeging.

De afgelopen dagen was het vochtig geweest. Gelukkig was de zon gaan schijnen. Vivian zag het gras dampen in het zonlicht. Gelukkig liep het maaiseizoen ten einde. De tuin gaf haar veel werk, maar had een gunstige ligging. Droogte was nooit een probleem. Haar huis stond op hoogveen gebouwd, zoals de meeste huizen in het dorp die langs de polderdijk samenklonterden.

Ze had haar tas 's ochtends al gepakt omdat ze een hekel had aan haasten op het laatste moment. Ze hield van orde en regelmaat.

Ze sloot de voordeur en stapte het bordes af het zonlicht in. Was er iets heerlijkers dan de deur achter je dicht te trekken met een weekend zonder verplichtingen voor de boeg? Julius zou zich wel een paar dagen alleen redden. Hij had in het begin een broertje Caesar gehad, die ondanks zijn vorstelijke naam al snel was doodgereden. Julius was dol op alles wat bewoog in de tuin en rond het huis. Sinds kort had hij de poes van de overburen ontdekt, die Vivian in haar conversaties met hem schertsend Cleopatra noemde.

Hoe kon Floris Cleopatra vergeten, Eva, de vrouw? Maar ze moest eerst zorgen dat ze haar benen niet brak over de losliggende stoeptegels. Het was prettig wonen in het dorp, maar aan de stoep deed de gemeente niets.

Eva, Cleopatra, de muzen, de gratiën, Thisbe, Heloïse, Belle van Zuylen: er waren talloze voorbeelden van de krachten die het spel tussen de geslachten losmaakte. Zonder hun dualiteit zou er geen mensheid bestaan, geen cultuur, jacht, film, muziek, dichtkunst, heldenmoed en literatuur!

Hoe kon Floris Genesis opvoeren en het paradijs meteen weer schrappen? En wat daasde hij over 'dualiteit creëren'? De twee-eenheid van man en vrouw behoorde tot de basispartituur van de beschaving.

Freud wilde Vivian tegen deze achtergrond positief beoordelen. De Weense meester was niet uit op het failliet van de mens. Als dokter, psychiater en hoogleraar gaf hij met zijn baanbrekende onderzoek naar het onderbewuste de stoot tot de ontdekking van het eigen emotionele leven. Zijn inzichten moesten aan creditzijde geboekt worden. Geblokkeerde emoties waren er niet om mee rond te blijven lopen, maar om opgehelderd te worden. Wie in het spoor van Freud de confrontatie aanging met zichzelf, haalde zich het nodige werk op de hals, maar vergrootte zijn emotionele repertoire en de kans om als vrij mens te leven.

Toen ze in de bocht in de verte haar bus aan zag komen, eerst de lichten, daarna de gele flanken, stond ze op en pakte haar tas. Hoewel overbodig stak ze haar hand op toen de bus dichterbij gekomen was en ze het nummer herkend had. Ze deed een stap achteruit om de zwenkdeur van de bus de ruimte te geven, zette haar voet op de trede en stapte in.

De bus passeerde de bebouwing en minderde vaart bij de smalle ophaalbrug die het dorp scheidde van de buitenwereld. Daarna schoot hij de provinciale weg op. Over een kwartier zou ze bij het station zijn. Vandaar zou ze doorreizen naar de stad, waar ze met Floris afgesproken had. Ondanks haar aarzelingen en haar onbegrip bij het lezen van zijn stukken, zag ze er naar uit hem te ontmoeten.

4 | Amor Dei

Iris had in de ochtend boodschappen gedaan en was daarna naar Union Square gegaan om buiten op het plein te studeren. Inmiddels was ze weer thuis. Ze verheugde zich op haar leesclubje die avond.

Voorzichtig dronk ze van haar thee. Ze bleef zich verbazen over New York. De complete wereldbevolking stroomde er samen op een paar vierkante kilometer, mensen van alle soorten en maten. In de wolkenkrabbers zetelden de bankiers, ondernemers en internationale zakenlui. De laagbetaalde arbeid werd door de gekleurde bevolking verricht. Onder de vele schoonmakers, straatverkopers, kappers, portiers, baliemedewerkers, caissières, taxichauffeurs en veiligheidsmensen had ze zelden blanken aangetroffen. Gisteren nog was het haar in de metro opgevallen hoe de meeste blanken uitstapten voor 125th Street. Bij Harlem begon een nieuwe stad. Elders in New York vond je luxe kaviaarbars en stinkende karretjes met hotdogs vlak naast elkaar. Alsof het bij het verschil tussen arm en rijk om *peanuts* ging. Wie arm is, kan rijk worden. Dat was Amerikaans denken.

Het land was evenmin een eenheid. In het middenwesten zou geen Yank het uithouden, behalve misschien in Chicago.

Omgekeerd trokken de veredelde cowboys uit Texas en conservatieve christenen uit het zuiden hun neus op voor het verlichte kosmopolitisme langs de oost- en westkust. Toch was New York *America's Hometown*. Brooklyn Bridge, Ellis Island, Broadway, Wall Street, het Vrijheidsbeeld en Hudson River waren nationale symbolen.

Op sommige dagen hing de bewolking zo laag dat de towers met hun kraag in de wolken stonden. Het was een mystiek gezicht.

Ook de afmetingen in de stad verbaasden haar nog altijd. 'Big' was in New York aan de orde van de dag, zoals bij de bevoorrading van de stad. Immense truckcombinaties die je alleen op het platteland verwachtte, denderden 's avonds en 's nachts even gemakkelijk door de straten van The Big Apple als de ontelbare gele taxi's overdag. Het liet de Yank met zijn krantje, *bagel* en basketballpet volstrekt onberoerd. In New York ging alles in het groot, van de horden hardlopers in Central Park tot de bruggen met dubbel wegdek.

Ze keek uit het raam van haar werkkamer naar het stadsleven beneden op straat, naar de bussen met rugnummer, het krioelende verkeer, de straatventers, krantenverkopers en massa's toeristen. New York had veel weg van een immense mierenhoop, waar het voor Europese begrippen verrassend ordelijk toeging. Central Park behoorde beurtelings aan de auto's en voetgangers, op de treinstations golden *waiting area's* en *boarding instructions* alsof je met het vliegtuig reisde en in de winkels en bij film- en theaterzalen wachtte iedereen geduldig op zijn beurt. Er was zelfs een apart werkwoord voor: oprijen. Ze had er niet eerder van gehoord.

Vanwege de voorspelde regen was ze halverwege de middag al naar huis teruggelopen van Union Square, waar ze in haar winterjas onder toeziend oog van Abraham Lincoln op een bankje had zitten werken. Ze had een nieuw boek van haar vader uitgelezen, waaraan ze een week eerder begonnen was. Ze hoopte de levende herinnering aan hem nog altijd terug te vinden door het lezen van zijn werk. Maar het beeld van Idema werd steeds diffuser. Hij was voorkomend geweest, genuanceerd en belangstellend. Een echte gentleman. Als hij kwaad was, draaide hij aan zijn zegelring, totdat zijn boosheid weer zakte. Kwaadheid was voor hem een kwestie van draaien. Iris kon zich niet heugen dat hij haar of Vera ooit een pak slaag had gegeven, behalve misschien een enkele keer in Indonesië. Idema was een man van de wetenschap. Een man van beschaving. Daarom trok het opbouwwerk overzee hem aan.

Des te vreemder en verwarrender was, nu ze zijn boeken las, zijn voorkeur voor exotische figuren aan de rand van de samenleving. Sommige mensen hielden op een feestje meer van de garnering of een randje gekrulde sla dan van de gepresenteerde hapjes. Anderen zagen elk plantje in de berm, maar verwaarloosden hun eigen voortuin. Zo moest ook haar vader geïnteresseerd zijn geweest als man van de beschaving in figuren in de marge, in denkers, doeners en pioniers met radicale ideeën.

Niet minder dan drie boeken had hij geschreven, naast een ingewikkeld boek over het concilie van Chalcedon dat ze opzij gelegd had, over de woestijnvaders in de derde en vierde eeuw. Zij lieten de beschaafde wereld achter zich en trokken de woestijnen van Egypte, Syrië en Judea in, ver van de decadentie van het Romeinse rijk en de staatskerk onder keizer Constantijn. Levend onder de open hemel wilden ze aan het oorspronkelijke charisma en de dynamiek van het leven van Jezus vasthouden.

Wat had Idema aangetrokken in de radicaliteit waarmee de woestijnvaders hun familie, omgeving en privileges vaarwel zegden, om in armoede, kuisheid en gehoorzaamheid te gaan leven in onherbergzame streken? Het meest in het oog sprong zijn boek over Antonius, de held van de Koptische monniken in Egypte. Om het mes aan twee kanten te laten snijden had ze besloten zijn verhaal vanavond in te brengen in haar literatuurclub. Eens per maand kwamen ze met z'n vieren bij elkaar in het restaurant van Barnes and Nobles aan Fifth Avenue, waar ze precies om een tafeltje pasten: Norbert, een verre collega van Pieter die ze kende uit Washington; Paula, een geboren New Yorkse en inkoopmanager bij Bloomingdale's; Vincent, die ze kende van de universiteit, waar hij haar als bibliothecaris soms hielp met het zoeken van literatuur, en zijzelf, die hun viertal completeerde.

Ze ging graag naar haar clubje toe en had voor de gelegenheid zelfs een taxi besteld. Tot die tijd kon ze haar brief aan Floris afmaken, waarvan het niet de bedoeling was dat Pieter die zou zien. Morgen was het dinsdag en zou ze zijn aandacht opnieuw ontglippen. Het was zijn eigen schuld. Zolang hij haar verwijten maakte, zou ze naar het vliegveld blijven gaan.

'Het verhaal dat ik vanavond inbreng ontleen ik aan een boek van mijn vader. Zoals jullie weten doceerde hij tot zijn dood kerkhistorie in Amsterdam. Het is een apart verhaal en speelt zich nu eens niet in de beschaafde wereld af, maar aan de rand daarvan. Het gaat over Antonius, een van de beroemdste figuren uit de begintijd van het christendom.

Laat ik in het midden laten of hij op een dag, kort na de dood van zijn ouders, na het horen van een preek over de rijke jongeling, aan wie Jezus de opdracht gaf alles te verkopen wat hij had en hem na te volgen, krachtdadig bekeerd werd of een zonnesteek opliep. Feit is dat Antonius daarna al het familiebezit verkoopt, zijn zusje elders onderbrengt en twintig jaar lang in volstrekte afzondering tussen de graven woont, in een tombe waarin het daglicht nauwelijks doordringt.'

'Nou ja zeg, bizar.' Paula kon haar commentaar niet voor zich houden. Daarvoor was het contrast tussen het verhaal van Antonius en Bloomingdale's te groot, waar het iedere dag weer een gekkenhuis was en de jacht op luxe, parfums en merkkleding altijd doorging. Iris begreep haar reactie, maar wilde eerst haar verhaal vertellen. Ze nam een slok van haar koffie, schoof de asbak op tafel van zich af, keek de kring rond, knikte en ging verder.

'Antonius voelt zich op zijn gemak in zijn kelder. In de stilte, bij de doden en in eenzaamheid brengt hij al zijn tijd door. Hij vast, bidt en bezweert de demonen, in overgave aan zijn ideaal van religieuze volmaaktheid. Als hij zijn maag voelt knorren weet hij dat hij de staat van volmaaktheid nog niet bereikt heeft en verdubbelt hij zijn zelfkastijding. Op een dag tekent hij op de grond van zijn tombe met kalk een cirkel waarin hij precies met één voet kan staan. Zo brengt hij uren slapend en wakend op één been door in vogelhouding, op zoek naar een nieuw goddelijk evenwicht.'

'Nogmaals: bizar.' Paula hield voet bij stuk.

'Stil nou, laat Iris doorpraten.' Vincent was wel wat gewend als het om oude geschiedenis ging en kende waarschijnlijk meer gruwelverhalen uit de oudheid dan zij.

'Na twintig jaar verlaat Antonius zijn kelder en trekt de woestijn van Egypte in om mirakels te verrichten en duivelen uit te werpen. De pelgrims stromen toe en zijn faam groeit met de dag. Antonius is een bezienswaardigheid in zijn langharige mantel. Als de christenvervolgingen voorbij zijn, zijn de radicale monniken met hun spectaculaire leefstijl en spirituele lijdensnavolging de nieuwe helden van de kerk.

In de woestijn ontpopt Antonius zich als ziener en raadgever. Hij put kracht uit zijn visioenen, verricht genezingen en geeft raad. Hij weigert geschenken aan te nemen of zich op andere wijze te compromitteren aan een werelds leven. Met toewijding wil hij het voorbeeld volgen van Mozes en Elia, die in de woestijn en op de berg met God hadden verkeerd; en het voorbeeld van Johannes de Doper en Jezus zelf, die op hun wijze de woestijntraditie voortzetten.

Door zijn charisma groeit Antonius in de woestijn uit tot een autoriteit. Zijn gezag straalt van zijn mantel af, die zijn enige bezit vormt. De pelgrims proberen de zoom ervan aan te raken om van hun kwalen en angsten verlost te worden.

Antonius heeft het druk in de woestijn, ook met de kring van zijn leerlingen. Maar hij kan slecht tegen de aandacht voor zijn persoon. Het liefst is hij alleen. Soms kijkt hij naar zijn benige handen en vraagt hij zich af of hij de Allerhoogste daarmee nog dient zo vaak hij ze uitstrekt voor een zegening of er de knollen in de woestijnbodem mee opgraaft waarvan hij leeft.

In zijn preken verfoeit hij iedere luxe. Badhuizen, geurende oliën en overdadige maaltijden hebben het verval van de zeden en van het geloof in gang gezet. Daarom toornt hij over alle cosmetica, sieraden en luxe en raakt hij over zijn toeren als met de pelgrims de geur van het stadsleven zijn neusvleugels bereikt. Dan knaagt zijn ideaal aan hem, verfoeit hij zichzelf en dwingt hij zich opnieuw urenlang in vogelhouding door te brengen, in de hoop daarmee de vogel Gods, de heilige Geest, te verlokken om in te keren tot de nederige tempel van zijn uitgemergelde lichaam.'

'Bij ons in het bedrijf is heel de benedenverdieping ingericht als cosmeticaparadijs, zoals jullie weten. Ik wist niet van het bestaan af van mensen die tegen cosmetica zijn, zoals Anton... hoe heet hij ook al weer?'

'Kom, Paula, de Amish in Pennsylvania zijn ook tegen cosmetica, luxe en opsmuk. Dat hoort bij dat soort godsdienstige groeperingen.'

Norbert was een waardevolle deelnemer aan hun praatclub. Voor zijn werk bij Unilever had hij veel gereisd. Die ervaring kwam van pas om een genuanceerde visie te ontwikkelen.

'Maar jij, Iris, wat zie jij in hemelsnaam in dit onderwerp?'

Paula richtte zich rechtstreeks tot haar. In een weerwoord aan Norbert viel voor haar geen eer te behalen.

'Ik wil die vraag nog even in het midden laten als je het goed vindt. Want het verhaal is nog niet uit. Volgens de commentaar van mijn vader is het niet onmogelijk dat Antonius inderdaad de legendarische leeftijd van 105 jaar heeft bereikt. De laatste etappe van zijn leven brengt hij opnieuw als kluizenaar door. Hij was al een paar keer dieper de woestijn ingetrokken, naar het gebergte, om Mozes en Elia te ontmoeten en gereinigd te worden van de smetten die het contact met de pelgrims met zich meebracht. Als grijsaard besluit hij zich definitief terug te trekken op 'zijn berg' in de woestijn. Daar wil hij, vastend en biddend, de dood afwachten, de vurige paarden en wagens van Elia. Waren ook Mozes en Henoch niet van de aarde weggenomen zonder dat hun graf gevonden werd?

Maar het gestel van Antonius is gehard. Zijn dood laat op zich wachten. Hij heeft zoveel gevast in zijn leven dat zijn ingewanden en organen nauwelijks de kans hebben gehad om te slijten. De spaarzame berichten die de mensen bereiken over Antonius, wiens afzondering zij respecteren, zeggen aldoor dat hij nog leeft. Daardoor neemt het gerucht over zijn leeftijd legendarische proporties aan.

De kluizenaar leeft op een minimum van voedsel en water, maar durft niet helemaal te stoppen met eten en drinken. Hoezeer hij verlangt naar de hemel, het zou onwaardig zijn naar het eeuwige leven te grijpen.

Uiteindelijk sterft hij, stokoud, in toevallige aanwezigheid van een herdersjongen, die hem een stuk vlees was komen brengen zoals de raven de profeet Elia in de woestijn hadden gevoed.

Na zijn dood wordt Antonius' lichaam begraven in het warme woestijnzand. Zijn mantel wordt, zoals hij bevolen had, als symbool van zijn geestelijke erfenis overbracht naar bisschop Athanasius, die er zijn greep mee verstevigt op de monniken die het voorbeeld van Antonius en andere kluizenaars waren gevolgd. De bisschop wil de beweging van woestijnmonniken in kerkelijke banen leiden. Daar is hij bisschop voor. Door ook zelf als monnik te leven wint hij hun vertrouwen en organiseert hij als een generaal zijn woestijnleger in de strijd voor de orthodoxie.'

'Wat wil Antonius nu precies, als idealist bedoel ik? Je zei dat hij met een aantal dingen breekt. Waarmee precies?' Met zijn mooie, donkere stem vroeg Vincent, de bibliothecaris die haar graag mocht, om begripsverheldering. Die kon ze hem geven. Ze had heel het boek van haar vader uitgelezen, inclusief zijn commentaar.

'Uit eerbied voor God breekt Antonius met alle aards

bezit en aards genot. Maar dat niet alleen. Op een fundamenteler niveau breekt hij ook met zichzelf: met zijn hartstochten en eigen 'ik'. Er is sprake van een dubbele breuk, uiterlijk en innerlijk. Lichaam en ziel snoeit hij terug, om in de steppe voor de Alziende te bloeien als een roos.'

Ze negeerde het stille applaus dat Norbert die tegenover haar aan tafel zat met zijn vingertoppen maakte en dacht aan haar vader. Ze begreep niet waarom Idema nauwelijks kritisch oordeelde over Antonius. Had hij in stilte genoten van zijn robuuste verschijning? Had hij zelf utopische idealen gekoesterd? Hij wist toch dat zaken als de rechtshandhaving, de omgang tussen de geslachten en de basisbehoeften van voedsel, onderdak en hygiëne in iedere beschaving geregeld moeten worden? Waarom sprak hij zich niet uit over de *onmogelijkheid* van het woestijnideaal? Misschien wilde hij het verhaal van Antonius voor zichzelf laten spreken. Zoiets zou Jonathan zeggen. Maar Idema was Jonathan niet! Hij was een geëngageerd wetenschapper die zich ook buiten de universiteit met van alles bemoeide. Dat was ook gebleken uit de grote belangstelling voor zijn begrafenis.

Kritische vragen konden Idema niet vreemd zijn geweest. Hij had haar en Pieter niet voor niets allerlei moderne literatuur gestuurd, waaronder de roman van Kundera een voltreffer was. Hoe had hij zijn dagen op de universiteit kunnen slijten met dit soort studies naar godsdienstige extremisten?

Soms bekroop haar het gevoel dat Idema gespleten moest zijn geweest. Dat hij als wetenschapper wel midden in het leven stond, maar hij zich innerlijk nooit had kunnen ontworstelen aan de verdachtmaking van de menselijke autonomie die hem met de paplepel was ingegoten. Haar strenggelovige grootouders, die van het Friese platteland kwamen, leerden hem op één been staan. Zij leerden hem, voor zover ze hen kende – Idema was een nakomertje, ze had haar grootouders nooit gekend maar alleen de foto's gezien en verhalen gehoord – godsvertrouwen, maar geen zelfvertrouwen. Misschien ging haar vader daardoor, ondanks zijn ontwikkeling, mank en had hij daarom soms iets kinderlijks over zich. Herkende hij zichzelf in Antonius?

Als het klopte wat ze dacht had de stem van zijn opvoeding Idema's emancipatiedrift niet alleen in gang gezet, maar ook gefrustreerd. Kon hij daarom gedachteloos voor zich uitstaren aan zijn bureau, zonder op te merken dat zij de studeerkamer was binnengekomen? Welke geheimen kende zijn geest voor zijn vrouw en kinderen? Welke worstelingen kwelden hem? Welke onrust ging er schuil achter zijn vanzelfsprekende humor, geleerde brillenglazen en academische welbespraaktheid?

Onlangs had ze zich zelfs afgevraagd – waarbij ze hevig terugschrokken was van haar eigen gedachten – of haar vader wel kansloos verdronken was bij het fatale bootongeluk in Indonesië. Misschien had hij de zondvloed, waarvan hij de dreiging zijn leven lang gevoeld had, toen hij kwam gelaten over zich heen laten gaan? Hoe kon een goede zwemmer als hij verdrinken?

'Hallo, ben je er nog?' Vincent schudde tegen haar schouder en wapperde met zijn hand voor haar ogen. Ze had de anderen laten praten en was in gedachten verzonken geraakt.

'We willen nog graag een paar dingen weten. Wat vind jij zelf van die grafscene aan het begin? Het lijkt ons luguber, twintig jaar in een tombe!'

'Daar heb ik over nagedacht.' Iris was blij met de vraag die haar de gelegenheid gaf om zich te herstellen.

'Met de oren van vandaag denk je inderdaad: luguber,

zo'n grafkelder. Maar denk eens aan de grot bij Plato als plek van kennis, aan Aeneas die in de onderwereld afdaalt om verhaal te halen bij de doden en de raad van zijn vader te zoeken, en aan Orpheus die in de Hades afdaalt om zijn geliefde terug te halen. Zo zijn er meer verhalen. Bij de doden zijn en naar hen luisteren was in vroeger tijd normaal. Het heeft in ieder geval in de literatuur oude papieren. Maar daar weet Vincent meer van dan ik.'

Anders dan Aeneas was Iris bij haar zoektocht in de krochten van het voorbije leven niet tot de geest van haar vader genaderd. Tot dusverre had ze louter schimmen opgeroepen met haar hopeloze vragen.

'Maar ik zou het Antonius niet nadoen.' Ze besloot duidelijk te zijn over haar mening. 'Uiteindelijk zie ik hem als een doodsaanbidder en cultuurbarbaar. Met een ideaal van onthechting valt niet te leven.'

'Als ik je goed begrijp vind jij Antonius pas echt doods en onmogelijk als hij rondloopt in de woestijn, meer nog dan in zijn tombe. Verrassend. Mooi.' Norbert knikte instemmend. 'Misschien is levend dood zijn erger dan de dood zelf?'

Iris voelde zich niet sterk genoeg om op dit onderwerp door te gaan. Daarvoor deed de wond nog te zeer. Snel gooide ze het daarom over een andere boeg.

'Ik geniet bij Antonius wel van het theatrale aspect. Zijn ernst is een soort spel, heilig en onheilig tegelijk, zoals je dat ook ziet bij politici op tv.'

'Ja, ja, we komen wel bij de actualiteit.' Vincent was tevreden over de richting die hun gesprek nam. Van opzij keek hij haar aan met zijn grote, trouwe ogen. In de bibliotheek kreeg ze daar wel eens de kriebels van. Vincent was loyaal als een hond.

'Antonius is een man met fantasie en als acteur zijn eigen

toeschouwer. Dat is fantastisch, in de letterlijke zin van het woord: hij gelooft in zijn eigen illusies.'

De volzinnen rolden nu uit haar mond. In deze stimulerende omgeving vergat ze voor even haar verdriet. Ze bloeide op.

'Kunnen we daar nog wat mee?' Norbert was nog niet klaar met oogsten.

'Waarmee?'

'Met geloven in illusies. Mooi geformuleerd trouwens.'

'Of wij dat ook doen?' Het was Paula die zijn vraag opnam, fel en pinnig, als een spin die tevoorschijn schoot in het web en geduldig op de gelegenheid had gewacht. Ze had nog iets recht te zetten met Norbert.

'Unilever doet niet anders in zijn reclamespotjes. Jullie creëren met alle mogelijke middelen en verleidingstechnieken een werkelijkheid waarvan je hoopt dat de consument erin gelooft.'

Iris zag dat Norbert niet een twee drie een antwoord had en besloot zelf nog iets te zeggen.

'Gisteren vroeg ik me af, op de terugweg van een bezoek aan The Cloisters, of de hedendaagse verafgoding van geld en werk niet net zo monomaan en maniakaal is als Antonius' ijver. Misschien is er een parallel tussen de woestijnvaders en de managers en workaholics van vandaag? In fanatisme doen ze niet voor elkaar onder.'

'Ik zou liever een woord als "engagement" gebruiken. Fanatisme klinkt meteen zo negatief.' Norbert had zich hersteld en corrigeerde haar met zachte hand. 'Er moet veel werk verzet worden, in ieder geval bij ons op kantoor. Dat zal bij jullie niet anders zijn. Als je je werk goed doet, kost dat tijd. Ja. Ik weet niet of je dat verslaving moet noemen. Volgens mij blijft er genoeg tijd over voor leuke dingen, zoals deze club.'

Iris besefte beschaamd dat haar leven er heel anders uitzag dan dat van de anderen. Zij kon elke dag haar eigen tijd indelen en op dinsdag de stad uitgaan om binnen de krijtstrepen van haar verdriet een poos op één been te staan.

'Heb jij nu wel of geen sympathie voor Antonius?' Paula vroeg haar nogmaals naar haar mening. Kennelijk was ze nog te genuanceerd geweest.

'Ik heb me bij Antonius afgevraagd hoe zijn verhaal eruit ziet vanuit het standpunt van zijn zusje, dat hij elders onderbrengt als zijn ouders gestorven zijn. Schrijf het verhaal eens vanuit haar perspectief. Antonius kan haar niet gebruiken. Ze vormt een sta in de weg voor zijn idealen. Ik vrees dat hij vanuit haar optiek een blinde radicaal en rabiate fanaticus is.'

Onderweg naar huis dacht ze aan Jonathan. Ze had inmiddels het slothoofdstuk van haar proefschrift met hem besproken, dat hij als 'eigenzinnig' had bestempeld. Hun discussie van een paar dagen geleden had zich toegespitst op Homerus' en Vergilius' behandeling van het noodlot, waartussen volgens hem geen wezenlijk verschil bestond. Daar dacht zij anders over. Ze herinnerde zich hun gesprek nog bijna woordelijk.

'Volgens mij laat Vergilius meer ruimte open in zijn behandeling van het noodlot,' had ze Jonathan gezegd.

'In welk opzicht?'

'Kijk naar de geest van zijn vertelling. Alleen al Vergilius' invoelende en genuanceerde schrijfstijl is een pleidooi voor een meer humane manier van denken.'

'Je zult toch met bewijsplaatsen moeten komen.'

'Luister, Jonathan. Aeneas wil, gehoorzaam aan de goden, een nieuw Troje stichten. Maar in zijn uitroepen klinken behalve vroomheid en enthousiasme ook verdriet en tegenzin door. Hij *moet* de zeeën bevaren, zijn liefde met Dido verbreken, een nieuw Troje stichten, Italië regeren. Als lezer voel je daarbij, dankzij de empathie van Vergilius, ook zijn smart om Dido en zelfs een vorm van weerzin tegen zijn goddelijke opdracht. Bijna verontschuldigend zegt hij tegen haar dat hij *ongewild* haar kust verlaat op goddelijk bevel. Dat Vergilius Aeneas' eigen wil thematiseert, is een vooruitgang. Je kunt niet zeggen dat bij hem een blind noodlot de loop der dingen bepaalt.'

'Als je die tekstplaatsen rond Dido een keer bij elkaar zet in de voetnoten...'

Ze had geprobeerd haar ergernis te verbergen. Ze was nog niet halverwege haar uiteenzetting over de geest van het verhaal, of Jonathan begon over voetnoten.

'Laat mij nog even mijn verhaal afmaken. Ik constateer en concludeer dat het beeld bij Vergilius over het noodlot genuanceerd is. Hij is een dichter met passie, geen epigoon van Homerus. Vergilius zoekt de rek van het tragische levensgevoel op, de marges van een voorbestemd leven. Hij volgt Homerus in zijn opvatting dat het leven kort is, onafwendbaar kort, maar staat er niet bij te juichen. Zijn hart ligt niet bij de gewelddadige lotsbestemming van zijn helden, maar bij de toekomst van Rome.'

'En het specifieke punt van de voorbeschikking?'

'Vast staat dat voor beide dichters de mensen wikken en de goden beschikken. Bij Homerus zit daar geen rek in. Vergilius zoekt het menselijke gezicht van dit credo op.'

Ze moest er bij het oversteken van de straat op letten niet in de grote plassen bij de trottoirband te stappen. Kennelijk werd het riool weer eens doorgespoeld. Even later zag ze een wegwerker in het riool verdwijnen achter een opengeklapt gevarenhek. Ze was blij dat ze niet hoefde ruilen. Literair afdalen, of dit nu in een graf was, een grot of in de onderwereld, was altijd nog iets anders dan letterlijk te verdwijnen in het ondergrondse New York.

Ze vergewiste zich ervan dat ze in de richting van Madison Avenue liep en dacht opnieuw aan Jonathan. Hij wilde niets van haar geëngageerde voorkeuren en filosofische beschouwingen weten, laat staan van haar streven om haar boek een levensboek te laten zijn. Hij wilde in de eindversie van haar dissertatie alleen 'verantwoorde teksten' opgenomen zien. Soms werd ze doodmoe van hem. Hij verkocht haar zijn kritiek als wetenschappelijke degelijkheid, maar verplichtte haar tot saaiheid. Ze wist niet hoe lang ze dit vol zou houden. Soms neigde ze ertoe te capituleren en een braaf boek af te leveren, maar diep in haar gloeide de ergernis over Jonathans weigering zich te engageren met haar keuzes. Zijn neutrale opstelling was tergend!

Gelukkig was het droog gebleven. Ze bereikte het appartementencomplex, groette de portier die over een sudoku gebogen zat in de slecht verlichte loge van het gebouw, en nam in de marmeren hal de lift. Even later stapte ze uit op haar etage. Ze liep de hal door naar haar voordeur, stak de sleutel in het slot en stapte naar binnen. Ze schudde de angst van zich af dat er iemand achter de deur stond die haar bij haar pols zou grijpen en met geweld zou meesleuren het huis in; een angstvisioen dat eindigde met een gijzelingsdrama of gewelddadige verkrachting.

Het was donker in de hal. Kennelijk was Pieter nog niet thuis of de deur alweer uit. Ze deed het licht aan en bekeek zichzelf in de hal, draaiend voor de spiegel. Wie was ze? Waarom was ze weer gaan studeren? Waarom haalde ze zich al deze moeite op de hals? De vragen bekropen haar als schaduwen. Kon ze de vlam van haar ambitie niet beter doven? Wat dacht ze te winnen? Eerder op de avond hadden ze over illusies gesproken. Jaagde zij zelf geen illusie na?

Ze liep naar haar werkkamer, gooide haar tas in de hoek en was kwaad op zichzelf. Ze moest niet haar kwetsbaarheid voeden door voor de spiegel te gaan staan! Ze had genoeg ellende aan haar hoofd. Binnenkort moest ze beslissen of het buigen werd of barsten met Jonathan. Ook met Pieter liep het stroef. Ze dronk steeds meer en haar afwezigheid op dinsdag begon op te vallen. Ze moest ervoor waken te desintegreren.

Als ze zich onbuigzaam opstelde tegenover Jonathan, kon ze haar promotie wel vergeten. Jonathan was meer solidair met zijn beschermheren op de universiteit dan met haar. Ze zou hem met zijn eigen wapens bestrijden en had besloten dat het er inderdaad zou komen: een ander boek, zoals hij gesuggereerd had. Ze zou een tweede boek schrijven, een roman wel misschien, waarin ze haar ideeën kwijt kon, haar gedachten de vrije loop kon laten en een aantal zaken recht kon zetten. Ze was er al aan begonnen, verbaasd over de kracht van haar fantasie. Ze zou de handschoen die Jonathan haar toegeworpen had opnemen!

Ze glimlachte, terwijl ze bij het buffet een glas muscadet inschonk. Jonathan zou ervan opkijken, van het boek van haar vrijheid, waarin zij niet langer vastzat aan zijn bevroren ideeën, stoffige maatvoering en sleetse tweed jasjes.

In haar boosheid herinnerde ze zich hem op zijn onvoordeligst. Toen ze afgelopen zomer een keer in een laag uitgesneden truitje tegenover hem aan tafel had gezeten, had hij zichtbaar genoten van het uitzicht. Hij had geen wetenschappelijke, maar wel seksuele fantasie. Ze had hem bewust geprikkeld met haar vrouwelijkheid, waarvoor hij gevoeliger was dan voor haar teksten. Maar hij begreep het spel niet. Jonathan vertaalde het consumptieve krediet dat zij hem verschafte op geen enkele manier terug in een soepeler opstelling. Hij dacht alleen aan zichzelf. Ze gruwde bij de herinnering aan zijn aanrakingen bij het inschenken van de thee, quasi enthousiast over haar stukken en bij het afscheid in de hal. Hij had haar voortdurend aangeraakt met een vormelijk 'sorry' over zoveel onhandigheid. Ondertussen liep hij warmer voor haar lichaam dan voor haar ideeën.

Sindsdien was ze binnen de grenzen van het fatsoen gebleven. Maar ook dat was niet wat ze wilde. Ze haatte haar afhankelijkheid, maar had geen keus. De dag zou komen waarop ze zich zou wreken voor zoveel plooibaarheid. Jonathan zou zich zijn eerste promovenda nog lang heugen, de mierenkoning met zijn afgezakte adel en losse handjes!

Ze had moeite gehad op te staan na een zware nacht, maar zat toch op de bank in de woonkamer, waar ze met Pieter koffie gedronken had. Inmiddels was hij naar zijn werk vertrokken. Ze streek met haar hand over de kaft van het boek dat op haar schoot lag en dat ze zou meenemen in de trein. Ze spelde met haar lippen de naam van de auteur, terwijl haar ogen brandden: prof. dr. J. Idema. Ooit vloeiden al deze woorden uit zijn pen. Ooit hield dit onderwerp hem bezig. Dan moest er toch een afdruk in te vinden zijn, een fossiel desnoods, van wie hij was en van wat hem bezielde? Ze gaf de moed niet op. Tegelijk bleef ze kritisch. Ze bewonderde Idema inmiddels meer om zijn ijver dan om de kracht van zijn oordeel. Dat gold ook van zijn boek over Ignatius, de stichter van de Jezuïetenorde, net als Antonius een bekeerling, die voor zijn geloof alles opzij zette.

Ignatius was militair geweest en gebleven. Maar Idema was voorzichtig. Hij durfde in zijn portret van Ignatius de lijn niet door te trekken van de legerofficier in dienst van Karel V naar de ordestichter en bevelhebber van Christus. Het dramatische materiaal lag voor het oprapen, maar hij zag het niet. Het gloeide niet in zijn boek doordat de distantie domineerde.

Toch had ze het met interesse inmiddels bijna uitgelezen. Ignatius was een apart figuur. Hij stamde van het Spaanse hof. Later stelde hij zich in dienst van de paus om de kritiek van Luther te bestrijden. Diens Bijbelvertaling, met in de voetnoten zijn nieuwe leer, verspreidde zich in heel Europa. Het concilie van Trente, dat pas een jaar na Luthers dood begon en achttien jaar duurde, kwam met een verbod op meerstemmige kerkmuziek op het moment dat men hier in Wittenberg en andere Noord-Europese steden al meer dan dertig jaar aan gewend was.

Toen ze deze feiten op een dag voor promovendi aan Vincent had voorgelegd, een verdienstelijk hobospeler, had hij er hartelijk om gelachen.

'Waar ben je nu weer mee bezig?' had hij vrolijk gevraagd. 'Met de 16^e eeuw zo te horen?'

'Ignatius.'

'Welke? Daar zijn er meer van, toch?'

'Ignatius van Loyola.'

'Weer een boek van je vader?'

Ze had geknikt en gezwegen. Ze zaten tegenover elkaar in de kantine van de universiteit.

'Vertel er eens wat van.'

Ze had een handgebaar gemaakt en eerst haar brood opgegeten en beker karnemelk leeggedronken. Daarna was ze van wal gestoken.

'Het is een ijverige baas. Overal waar hij opduikt, raakt hij in moeilijkheden door zijn maniakale ijver. Geen man van compromissen. Een echte Bask.'

'Een Bask?'

'Ja, zij het niet van de ETA. Ignatius is de jongste zoon van de heer van Loyola. Van de familieburcht loopt de lijn regelrecht naar het hof. Evenals zijn broers treedt Ignatius als militair in dienst van de Spaanse koning, waar hij belandt in een wereld vol bravoure, overspel en heldendom. Korte tijd later blinkt hij er zelf in uit, totdat bij de verdediging van Pamplona een Franse kanonskogel zijn benen doorboort en knie verbrijzelt.'

'En er waren geen ziekenhuizen in die tijd.'

'Nee. Maandenlang is Ignatius aan bed gekluisterd. De doktoren sleutelen aan zijn benen. Van zijn meest beschadigde been wordt zelfs een stukje afgezaagd, waardoor hij voortaan mank gaat. Ignatius beschouwt zijn trekkebenen en heupwiegen als de stigmata van zijn bekering.'

'Waaraan iedere stap hem herinnert.'

'Inderdaad. Op zijn ziekbed leest hij door bemiddeling van een vrome schoonzus een aantal boeken over het leven van Jezus en het leven van de heiligen. Hij raakt diep onder de indruk en wil hun vroomheid voortzetten. De dromen op zijn ziekbed maken van Ignatius een ander mens. Zo beschrijft mijn vader het.'

'Dat zie jij anders, zo te horen.'

'Ik geloof er niets van. Volgens mij blijft hij dezelfde fanatiekeling. Mijn vader geeft geen commentaar op de *marsroute* die Ignatius zijn leerlingen oplegt. Hij lijkt het normaal te vinden dat Ignatius een vorm van discipline propageert die de vrijheid van het individu geen ruimte laat. In de maand van retraite die het fundament vormt van de jezuïtische training wordt het de novicen al in de eerste week verboden te lachen. Kun je nagaan. Ook worden zij aangemoedigd minder te eten en te slapen dan nodig is.'

'Klinkt behoorlijk extreem. Het doet me denken aan de survivalkampen in mijn jeugd in de Rocky Mountains.'

'Het is nog erger. Ignatius moedigt de nieuwelingen in zijn kamp aan met strakke boetekleding, koorden en kettingen hun lichaam te pijnigen. Daardoor zullen zij de pijn van de zonde voelen en beseffen dat boetedoening niet vanzelf gaat.'

'Zoiets zou vandaag verboden worden. En wat zei je: er mocht niet gelachen worden?' Hierop lachte Vincent zelf, vol ongeloof. Iris vond hem sympathiek in zijn donkerblauwe sweater met het beeldmerk van de universiteit. Hij had bovendien een mooie stem en was even oud als zij.

'De wereld van Ignatius is een vreemde wereld. Ik geloof niet dat je pijn kunt opleggen als methode.' Na deze woorden keek ze haastig weg om de plotselinge gedachte aan haar eigen uitstapjes naar het vliegveld de kop in te drukken. Ze wist nog niet of pijn zijn eigen taal sprak en eigen mogelijkheden kende. Zolang ze daar geen zekerheid over had, meed ze het onderwerp liever.

'De tegenstellingen zijn heftig. Luther gooit de zelfkastijding overboord en zweert het monnikenleven af, Ignatius wil weer monniken maken, ordebroeders die het religieuze leven voortzetten. Luther beschouwt hij als een clown van de duivel om wie hij niet kan lachen.'

'Hoe ver reikte zijn invloed?'

'Ignatius wil, als het aan hem ligt, de wereld veroveren. Het Heilige Roomse Rijk onder leiding van Karel V ligt hem na aan het hart. Onder de Indianen in Zuid-Amerika en bij de Inquisitie in Europa breidt het zich uit en begint het er op te lijken. Daaraan wil hij bijdragen.'

'Vertel eens iets over de sfeer.'

Het gesprek met Vincent in de kantine van de universiteit, waar de meeste eettafels alweer verlaten waren na de stormloop rond het middaguur, verliep zo vanzelfsprekend dat Iris zich permitteerde zijn vraag met fantasie te beantwoorden, haar nieuw ontdekte bron, waar ze bij het werken aan haar nieuwe boek lustig uit putte.

'Stel je een aantal ordebroeders voor in pij, aan de rand van een korenveld onder de Spaanse zon. Ze genieten van de warmte, van elkaars nabijheid en elkaars bevestiging; al is genieten niet het goede woord, want genieten is gevaarlijk. "En leid ons niet in bekoring."

Hun spel bestaat erin om beurten een favoriet nummer op te geven uit Ignatius' *Oefeningen*; al is spel niet het goede woord, want spelen is gevaarlijk. Voor je het weet trap je de duivel op zijn staart. "Maar verlos ons van het kwade."

Het duurt niet lang of Oefening 234 wordt gekozen, de oefening waarin Ignatius zichzelf biddend uit handen geeft. Mijn vader vond het prachtig, blijkens zijn commentaar. Ik niet. Maar ik ben geen theoloog. Ik zou zeggen: het laatste wat ik uit handen zou geven, is mijn eigen wil. Ik geloof in autonomie, Vincent. Die maakt de mens verantwoordelijk. Ignatius is een problematische figuur. De overgave die hij eist van zichzelf en van anderen kan niet anders dan tot slaafse gehoorzaamheid en machtsmisbruik leiden. Want wie beschikt er over mij, als ik mijn wil uit handen geef?'

'Tsja.' Vincent keek haar vragend aan.

'De kerk, zegt Ignatius, onze heilige moeder, de hiërarchische Kerk. Haar moeten wij gehoorzamen. De protestanten beroepen zich rechtstreeks op Christus. Van een dergelijke brutaliteit gruwt Ignatius als van de klonten in zijn gortepap. Hij gelooft in het ideaal van een christelijk wereldrijk, het Heilige Roomse Rijk, dat net vorm begint aan te nemen als het protestantse oproer uitbreekt, de strijd om de mondigheid van de gelovige.'

'En daar heeft hij een broertje dood aan...'

'Inderdaad. Ignatius bestrijdt de reformatie, die roet in het eten gooit. Maar ik keer nog even terug naar het korenveld. "Wat ik als wit zie, *is* zwart als de hiërarchische Kerk het zo bepaalt", zegt een van de Oefeningen. De broeders knikken. Zo is het. De Kerk heeft altijd gelijk.'

Iris hield haar ogen half gesloten. Vincent verbaasde zich over haar plotselinge openheid. Ze was een vrouw vol verrassingen. Het was sneu dat ze haar vader verloren had. Volgens hem was zij nog iedere dag met hem bezig.

Alsof ze zijn gedachten raadde, zei ze: 'Ik vind dat mijn vader zich om de tuin laat leiden door Ignatius. Hij voelt niet de onderhuidse agressie bij de jezuïeten.'

Ze dook in haar tas om een citaat op te zoeken.

'Kijk, dit bedoel ik. Mijn vader schrijft: "Ignatius wil zich voegen in de levende traditie van de kerk en zijn zintuigen in dienst stellen van de beschouwing." Nogal optimistisch, nietwaar? Alsof Ignatius zijn volgelingen niet *drilt* als tijdens zijn beste jaren in het leger.'

'Hoe liep het af met hem?' Vincent durfde niet verder naar haar vader te vragen. Hij voelde de spanning bij alles wat Iris over hem zei.

'Uiteindelijk vestigt hij zich in Rome, waar hij zich voegt bij de contrareformatie en onderwerpt aan de paus. Daarop groeit zijn orde als kool. Bij zijn dood telt zijn Jezuïetenorde duizenden leden. Het zouden er tienduizenden en zelfs honderdduizenden worden.'

'Dat was het verhaal?'

'Bijna. Na zijn dood wordt Ignatius begraven in de Il Gesù, zijn eigen kerk in Rome, waar later een pronkaltaar zijn graf bedekt. Overal ter wereld worden zijn attributen gevestigd: de letters IHS, een doodshoofd, een vlammend hart. Ignatius had niet kunnen dromen dat hij zo glorieus zou eindigen toen hij in de buurt van Barcelona, bij de kapel van de Heilige Maria van Montserrat, op bedevaart na zijn genezing hinkend zijn zwaard op het altaar achterliet.'

Ze zag Vincent in gedachten teruglopen naar de bibliotheek. Ze hadden geanimeerd met elkaar gesproken.

Ze had nog geen zin om te vertrekken. In plaats daarvan vleide ze zich op de bank en dacht aan haar vader. Hij had vreemde vogels gespot tijdens zijn loopbaan, niet alleen op katholiek erf. Luther was zijn held. Idema was op Luther gepromoveerd en werd overal bijgehaald in binnen- en buitenland waar de naam van Luther viel. Zijn naam zong ook rond bij hen thuis zonder dat zij of Vera wist wie Luther was. Ze hadden het idee dat hij elk moment kon aanbellen en op de stoep kon staan als goede kennis van hun vader.

Iris had ook Floris op een verhaal uit de doos van Idema willen trakteren door het op te sturen naar Amsterdam, maar daarvan gelukkig op het laatste moment afgezien. Ze zou er een stommiteit mee begaan hebben. Met het verhaal waaraan ze gedacht had – ze had het voor zichzelf als schrijfoefening bewerkt en herschreven – had ze hem willen opbeuren. Gelukkig had ze op het juiste moment ingezien dat het een wrange troost bood in zijn situatie van maandelijkse ooginjecties die zijn arts hem aanbevolen had omdat er in Amerika resultaat mee geboekt leek.

Ze had haar verhaal de titel *Augenschmerzen* meegegeven. Het berustte op een studie van Idema die ze afgelopen zomer gelezen had. Het betrof een deeltje van een serie over godgeleerden uit de 18e eeuw en handelde over Theodorus van der Groe. Ze had zijn biografie bij mooi weer buiten op het gras in Central Park gelezen. Een groter contrast dan dat: tussen een Hollandse boeteprediker en aartspessimist, die bijna stikte in zijn eigen ernst, en de vrijheid van *The American Way of Life* was niet denkbaar, al wist ze dat de puriteinen destijds het hunne hadden bijgedragen aan de wording van het land.

Zo zag de wereld er uit in de ogen van Van der Groe: 'Algemene afval van God en verdorvenheid in leer en leven, vervloekte ijdelheid en weelde, onverdraaglijke pracht en hovaardij, sabbatschenderij. Geen verslagenheid en verbrijzeling. Geen rechte bekommering. Veel godsdienst, weinig godsvrucht.' Waar ging dit over?

Opnieuw had Iris zich afgevraagd wat Idema aantrok in dit soort teksten. Ze snapte het niet. De 18e eeuw was toch een tijd van vooruitgang en ontdekkingen? Van der Groe leefde in de veronderstelling dat 'het oordeel der verwoesting op alle verval van de zeden en van de godsdienst' elk moment kon aanbreken.

Uiteindelijk had ze besloten Norbert haar verhaal te sturen. Zijn voorouders kwamen uit Nederland. Misschien herkende hij er iets in en kon hij haar helpen het te duiden. Aan Paula was de tekst niet besteed en Vincent was tijdens de zomer weggeweest naar Ierland. Met een kort begeleidend briefje had ze Norbert haar versie van de Augenschmerzen gestuurd:

Tien jaar lang, vanaf het jaar des Heren 1730, wonen The-
odorus en Eva van der Groe in de pastorie van Rinsater-
wald. Hij als predikheer, zij als zijn inwonende zus. Broer en
zus zijn geestelijk nauw aan elkaar verwant en wedijveren
sinds de bekering van Van der Groe in 1735 in vroomheid,
boetedoening en godsvrucht. Maar ik vergeet de adjectieven
erbij te zetten: in waarachtige vroomheid en oprechte gods-
vrucht. Het gereformeerde piëtisme van de Nadere Refor-
matie (woorden die ik zelf niet had kunnen verzinnen, maar
ontleen aan de ondertitel van het boek van mijn vader) gros-
siert in bijvoeglijke naamwoorden. De Nadere Reformatie –
wat die precies inhoudt weet ik niet en wil ik ook niet weten,
geloof ik – lijkt bij Van der Groe te bestaan in de opmars en
zegetocht van het adjectief, dat in zijn geschriften even zwie-
rig opduikt als de pijpenkrullen van zijn tijd.

Misschien probeerde hij met zijn boeteprediking het ver-
lies van zijn vader op zevenjarige leeftijd in Zwammerdam,
zijn geboorteplaats, te verwerken. Van der Groe kent de te-
leurstelling van dichtbij en studeert dag en nacht om haar
te vergeten en door te slikken, samen met zijn ergernis over
zijn bijdehante zus, stel ik mij voor. Een zus die hij nodig
heeft. Zij kookt voor hem, houdt de moestuin bij, doet de
was, boent de vloer, stijft zijn boorden en verstelt zijn kleren.
Op een dag heeft hij haar harder nodig dan ooit.

Diep in de nacht, als de stilte zich reeds lang op de Was-
senaerse polder en de landerijen rond Rinsaterwald is neer-
gedaald en alleen de roep van de kerkuil nog weerklinkt,
zit Van der Groe bij kaarslicht nog geconcentreerd over een
traktaat gebogen, slechts af en toe onderbroken door een slok
water. De vermoeidheid zit hem op de hielen, maar hij heeft
de smaak te pakken en kan niet stoppen met schrijven, zo
nemen de woorden hem mee. Hij gloeit van opwinding. Is me

dat schrijven! Is me dat taal! Hij moet moeite doen om niet verliefd te worden op zijn woorden. Dat zou een kwaad zijn. De taal strekt, als godsgeschenk, niet tot meerdere glorie van vergankelijke mensen.

Het voelt goed vuur op het papier te werpen, de gloed van zijn brandende toorn over alle zedeloosheid. Onder het schrijven zakt de mond van de godgeleerde half open. Hij ademt zwaar. Af en toe kreunt hij bij de moeite die het hem kost om met zijn schrijfhand zijn gedachten bij te houden. Driftig krast hij de woorden op papier en weet van geen ophouden, hoewel hij zich voorgenomen had op tijd naar bed te gaan. Elke dag heeft genoeg aan zijn eigen kwaad. Dat weet hij al te goed.

Maar de woorden blijven opwellen in zijn geest, als bloed uit een wond. Ze stromen zijn ganzenveer uit. Om de paar woorden doopt hij zijn schrijfveer in de inkt. Onderaan elke bladzijde scherpt hij hem met een fijn pennenmesje aan. Nog even en hij heeft zijn polemische banvloek over alle goddeloze sabbatschenderij ten einde geschreven! Nog een laatste paragraaf zal hij de zweep van de goddelijke toorn laten knallen over alle verdorvenheid en neergang van het godsdienstige leven in de moderne tijd.

Maar hij haalt de eindstreep niet. Zijn vermoeidheid speelt hem parten. Het is wet tegen wet: de wet Gods tegen de wetten van het lichaam. Langzaam vertragen de bewegingen van Van der Groe en worden zijn oogleden zwaar.

De camera zoomt in op het pennenmesje dat de godgeleerde in zijn vuist op tafel omklemd houdt als de slaap hem overmant. Zwaar van vermoeidheid knikt zijn hoofd met een ruk voorover in de richting van zijn bureaublad. Van der Groe schrikt op, zuigt met een piepend geluid een nieuwe stoot lucht binnen en herstelt zich.

Niet veel later krijgt een nieuwe slaapaanval grip op hem. Dit keer dommelt hij daadwerkelijk in. Even slaapt hij rechtop in zijn stoel. Dan duikelt plotsklaps zijn zware en geleerde hoofd met een ruk naar beneden en valt hij met zijn volle gewicht voorover. Bij zijn val doorboordt het pennenmesje onverhoeds zijn rechteroog. Brullend van pijn springt Van der Groe overeind. Daarbij stoten zijn bovenbenen hard tegen zijn werkblad. Het bureau kraakt, zijn glas valt om, inkt begint te vloeien, papieren raken in de war, godgeleerde woorden gaan verloren. Ten slotte rolt de kaars van tafel. Plotseling is het donker.

In een reflex grijpt Van der Groe naar zijn oog. Daarbij stuit hij op het mes dat er nog insteekt. Hij brult als gevolg van de nieuwe pijnscheut en zoekt steun tegen de boekenwand. Bloed druipt over zijn gezicht, op zijn blouse, zijn schoenen, de grond. De pijn is nauwelijks te dragen.

Beneden is Eva in haar bedstee wakker geschrokken door het nachtelijke lawaai. Ze denkt dat het laatste oordeel aangebroken is en vleit zich, half in slaap nog, in gebedshouding voor haar bed. Onze Vader, die in de hemelen zijt...

Dan beseft ze dat het Theodorus is. Vlug maakt ze haar gebed af. De godsvrucht gaat voor.

Dan stormt ze de trap op. Dappere Eva. Moeder der levenden. Haar slaapmuts rolt in de haast van haar voorhoofd en ontbloot haar gerimpelde en gegroefde gezicht. Snel overbrugt ze de laatste passen naar de studeerkamer.

Als ze haar broer in het schemerdonker ontwaart tegen de lange boekenwand, wankelend en bebloed, doorziet ze in een oogwenk de situatie. Ze pakt haar broer bij beide polsen, leidt hem terug naar zijn bureau en duwt hem in zijn bureaustoel.

'Houd mijn arm vast,' zegt ze alleen tegen hem, terwijl ze haar rechterhand tegen zijn voorhoofd zet en tegen de rugleuning duwt. 'Mijn arm,' lispelt ze nogmaals, als ze ziet dat de godgeleerde talmt.

Dan klemt Van der Groe zijn handen om de arm van zijn zus, haar stevige werkvrouwenarm waarmee zij normaal gesproken groenten inmaakt, wekflessen vult, de heg bijhoudt, het brood, vlees en de hammen snijdt. Als een vleermuis hangt hij in het donker aan de arm van Eva, terwijl zij onverbiddelijk zijn hoofd achtergedrukt houdt.

Het spaarzame maanlicht dat de kamer binnenvalt verlicht het uitstekende heft van het pennenmes. Camera op het oog van Van der Groe. Het is geen fraai shot, maar het moet. Dit is de realiteit. Zonder bijvoeglijke naamwoorden.

In een ommezien voltooit Eva haar nachtelijke missie. Manmoedig doet ze een stap naar voren, klemt haar knieën om de benen van de godgeleerde en nadert met haar linkerhand het mes. Even slaat ze haar blik ten hemel. Dan vouwt ze haar vingers om het lemmet, drukt met duim en wijsvinger op de oogbol van haar broer en trekt in een vloeiende beweging het mes eruit. Zo voorkomt ze dat ze het oog van Van der Groe eruit trekt. Dat hij het later alsnog verliest, als de chirurgijn de zaak bekeken heeft en een ontsteking opspeelt, doet niet ter zake. Eva doet wat ze moet doen. Hulde aan Eva.

Voorzichtig leidt ze haar broer de trap af en legt hem op bed. Daar verbindt ze zijn wond. Daarna is ze nog een tijd in de weer om alles uit te spoelen en op te ruimen. De godgeleerde heeft ze een dot brandewijn gegeven, zonder verwijt over het late uur waarmee hij zichzelf in het ongeluk heeft gestort.

Later verwonderen broer en zus zich erover dat juist Eva's linkerhand ter redding gereed stond om de angel uit het vlees van de weleerwaarde te trekken. Normaal gesproken was dit de hand van Gods oordeel. Ze interpreteren het als een teken van Zijn bijzondere gunst.

Jaren later valt Van der Groe, ondanks zijn ene oog en gevorderde leeftijd, een vrouw als echtgenote ten deel. Ze is al negenenveertig, maar thuis in de bijvoeglijke naamwoorden en rijk, schatrijk. Johanna Cornelia Bichon doet haar intrede in het leven van Van der Groe, die na zijn huwelijk doorpreekt in zijn bekende stijl over bekering, zelfonderzoek en boete.

Over de blinde Bartimeüs preekt hij zelfs zeven keer.

Hij blijft ook studeren met zijn ene oog. Het deert hem niet. De apostel kampte ook met zijn ogen. Slechts één zonde weet hij niet te beteugelen: zijn lust om boeken te kopen. Hij heet ze in zijn Kralingse studeerkamer welkom als zijn vrienden en bouwt een fort van geleerdheid om zich heen. Hij is tegen de nieuwe psalmberijming, tegen kindervaccinatie, tegen de nieuwe spelling en tegen verderfelijke luxe en weelde. In principe. Met een knipoog naar Johanna.

Van der Groe knipoogt de hele dag. Totdat hij zich te ruste legt en zijn laatste adem uitblaast. Bij zijn dood telt zijn bibliotheek meer dan 15.000 banden.

Norbert had nog niet gereageerd op haar tekst. Iris durfde hem niet naar zijn reactie te vragen. Mogelijk lag het buiten zijn gezichtsveld als bedrijfseconoom. Misschien had ze te veel van hem gevraagd en deed ze er beter aan de verrassingsdoos van Idema te sluiten in plaats van er anderen uit te trakteren en mee lastig te vallen.

5 | Roeping

Moeizaam ploegden de wielen van haar Fiat Panda door de plassen op de oprijlaan. Beau hield haar ogen strak op het pad gericht. De regen had de oprit, die hier en daar met puin was opgevuld, veranderd in een glibberig modderpad. Op de achterbank schudden de boodschappen voor het weekend in hun kartonnen dozen. De autoradio kraakte en had een slecht bereik. Om niets te breken reed ze voorzichtig. De lastigste hobbel, van de dijk af naar beneden, had ze gelukkig al genomen.

Haar twee stacaravans aan het einde van het pad vormden samen de letter T en waren ooit vakkundig met elkaar verbonden. Beau zag dat haar buitenspullen er allemaal nog stonden: het tuinset, de bloembakken, opklaptafel en fietsen die met een rafelig blauw zijldoek tegen de ergste regen waren afgeschermd. De brandnetels stonden nog hoog rond het grasveld en langs de oprijlaan. Ooit had ze geprobeerd de wildernis aan braamstruiken, distels, brandnetels en berenklauw te lijf te gaan, maar was daarbij tot de conclusie gekomen dat de bodem uit weinig meer bestond dan een hechte mat onkruidwortels. Daarop had ze de strijd opgegeven. Er waren ook voordelen. Het onkruid onttrok de buren aan het gezicht en camoufleerde de witte septic tank naast het oprijdpad.

Op haar gemak laadde ze de boodschappen uit. Daarna worstelde ze met het hangslot om de deurgrepen van de voorste caravan die op een afstand van tweehonderd meter evenwijdig aan de dijk stond. De caravan die als slaapvertrek diende lag aan de achterkant en was alleen vanaf de dijk zichtbaar. Het slot was roestig. De sleutel gaf nauwelijks mee. Nog eens wrikte ze met de sleutel. Eindelijk sprong het slot los en kon ze de deuren openen. Op de dorpel zochten pissebedden ijlings een heenkomen, opgeschrikt in hun illegale samenzwering. Ze zag ook een duizendpoot wegkruipen. In de zomermaanden waren er muggen en wespen die kwamen knabbelen aan de oude appelboom bij het terras. De insecten trokken vogels aan, die zich in de ochtend lieten horen. Daarvan genoot ze. Er heerste evenwicht om haar buitenverblijf. Soms liet zich in de bomen achter het erf een specht of koekoek horen. In de nacht weeklaagden de uilen over de weilanden rondom.

Kort na aankoop had Beau haar caravans de naam 'Margriet' gegeven. Het was een naam die paste bij het buitenleven en op een grappige manier naar haar geliefde schilder klonk, René Magritte, de Belgische surrealist. Aan Magritte had ze haar doctoraalscriptie gewijd. Nog altijd reed ze om de zoveel maanden naar Brussel, waar het nieuwe Magritte Museum in korte tijd een bedevaartsoord voor haar geworden was. Van tijd tot tijd wilde ze in de nabijheid van de meester zelf verkeren.

Ze miste wel de magische verdieping -7 van het Koninklijke Museum voor Schone Kunsten, waar de werken van Magritte eerst gehangen hadden. Ze herinnerde zich de route door het oude gebouw feilloos: vanuit de centrale hal langs het beeld van de gesneuvelde soldaat en de vechtende stieren van Mignon rechtsaf in de richting van de roltrap. Daarna langs Zadkines houtsnijwerk van de godin Diane met haar scheve gezicht en ongelijke borstjes en de bronzen Draped Woman on Steps van Henry Moore met haar kolossale kuiten. Daar begon de trap naar de kelderafdeling.

Beau had zich ook in het leven van Magritte verdiept. Gedenkwaardig daarin was de zelfmoord van zijn moeder. Magritte was toen een jaar of veertien. Gekleed in haar nachthemd was zij 's ochtends vroeg ten prooi aan wanhoop in de Samber bij Chatelêt gesprongen, waar het gezin toen woonde. Misschien had ze de mist van de Ardennen niet verdragen. Ze was hoe dan ook depressief geweest, zonder erover te kunnen praten. Toen ze opgedregd werd, was haar nachtjapon teruggeslagen over haar hoofd, zodat alleen de contouren van haar gezicht te zien waren. Dit beeld keerde bij Magritte terug in de gesluierde personages die hij schilderde, zoals op zijn doek 'De minnaars.' Wilde hij zeggen dat de waarheid versluierd is en mensen vreemden blijven voor elkaar?

Op haar enthousiasme had ook Soetaert zijn belangstelling een poosje op Magritte gericht. Hij meende dat Magritte speelde met een thema dat hem boeide. De schilder plaatste bekende voorwerpen in een nieuwe ruimte en schiep zo zijn eigen idioom. Zijn artistieke taal werd geboren uit het effect van bewuste vervreemding. Dat klopte op zich. Toch kregen ze steevast ruzie omdat Soetaert Magritte annexeerde. Hij zag meer dan Magritte ooit bedoelde. In het surrealisme werkten de schokgolven van de eerste wereldoorlog door. Een zoektocht naar zin in een kapotgeschoten wereld, waarin alles zijn verband verloren had: dat was de context van de surrealisten. Het woord betekenis kenden ze niet. Soetaert kon het weten.

Ze droeg de boodschappen naar het aanrecht en borg ze op in de aanrechtkastjes. Daarna haalde ze de koelbox uit de auto en vulde de koelkast voor het weekend. Hierop liep ze de caravan door om de ramen open te zetten, die voorzien waren van horren tegen binnenvliegend ongedierte.

Op school hing in haar klaslokaal een grote reproductie van Magrittes beroemde *Ceci n'est pas une pipe*. Ze liet haar leerlingen er zelf over nadenken. Voor Magritte was de relatie tussen woord en beeld dubbelzinnig. Later tekende hij zijn pijp nog eens, nu met het bijschrift 'Ceci continue à ne pas être une pipe.' Hij hield even consequent aan zijn eigen alfabet vast als aan zijn schildersezel en sigaret.

Beau probeerde de inzichten van Magritte ook in eigen omgeving toe te passen. In haar caravans streefde ze haar eigen surrealisme na door in haar interieur, net als op de schilderijen van Magritte, de dingen afzonderlijk belangrijker te laten zijn dan hun verband. In de woonkamer vormden een gele tweezitter, twee oude kerkstoelen en een lage tafel van wit formica de zithoek. Tegen de achterwand stond een verrijdbare computertafel, getooid met een vaas met ziekenhuisrietjes, naast een buikig dressoirkastje waarop de poten van een omgekeerde pianokruk de lucht in staken bij wijze van bloemstuk. Bij het raam hingen gordijnen van rood velours boven de mosgroene vloertegels, waarvan ze er na een lekkage een paar vervangen had door de blauwharige uit de slaapcaravan. Het gaf een fraai kleureffect.

Ook in de keuken had Beau haar experiment doorgevoerd. Om de digitale wandklok had ze Arabische bidkralen gedrapeerd en van het prikbord gebruikte ze niet de voorkant, maar de vlakgrijze achterkant. Haar aanrechtkastjes en bestekladen streden qua inhoud om diversiteit, terwijl de ovalen keukentafel juist een pronkstuk was van zorgvuldig gelakt mahoniehout, waarvan ze ieder krasje bijhield. Je moest er iets voor over hebben om voor de kunst te leven.

In de hal van het station tuurde Soetaert naar het bord met vertrektijden, met over zijn schouder zijn weekendtas, gevuld met kleren, zijn buitenschoenen en twee schriften met aantekeningen. Met zijn rechterwijsvinger volgde hij de tabellen met cijfers. Het lukte hem slecht zijn blik te fixeren. Telkens wanneer hij naar de vertrektijden keek, begonnen ze spontaan een reidans. Eindelijk lukte het hem zijn ogen te richten. Hij had nog 20 minuten en was ruim op tijd.

Hij klom via de granieten trap omhoog naar het perron, op weg naar de stationsrestauratie.

In de restauratie was het warm. Een deel van de ramen was beslagen, hoewel buiten inmiddels de zon scheen. Hij bestelde koffie, zette zich aan een van tafeltjes en hield zijn blik op de deur gericht. Ondertussen liet hij zijn gedachten gaan over de plannen voor het lustrum die hij na een eindspurt van drie volle dagen aan het begin van de middag bij de rector afgegeven had.

Na een poosje zag hij Vivian binnenkomen. Ze duwde haar weekendtas voor zich uit en had moeite met de dranger op de deur. Doordat haar tas vooroverhelde, viel haar haar in haar gezicht.

Soetaert stond op om haar te begroeten. Onwennig. Ze voelden beiden de spanning van het moment. Net op tijd vermeed hij het op haar tenen te gaan staan.

'Hoe is het?'

Ze zaten tegenover elkaar aan tafel. Haar stem klonk vast. Ze keek hem beheerst aan. Soetaert moest wennen aan haar blik. Hij wist ook niet zeker of hij haar scherp zag.

'Ja goed.' Hij antwoordde zonder overtuiging en zonder haar aan te kijken. Dat deed hij pas toen hij uitgesproken was. Hij had tijd nodig om te acclimatiseren, net als de nieuwe visjes in zijn jeugd die eerst een tijdje met plastic zakje en al in het aquarium moesten hangen om het temperatuurverschil te overbruggen.

'Hoe is het met je ogen?'

Op deze vraag deed Soetaert uitgebreid verslag. Te uitgebreid. Maar dat merkte hij pas toen hij Vivian steels een blik op haar horloge zag werpen, zonder de indruk te geven niet langer geïnteresseerd te zijn. In dat soort dingen was ze geraffineerd.

'Ja, we moeten gaan. De rest vertel ik je onderweg wel. We hebben voorlopig tijd genoeg.'

In de trein namen ze plaats tegenover elkaar. Het was rustig in de wagon. Ze konden vrijuit praten.

'Ik heb vanmorgen nog wat in Homerus gebladerd.'

'Zo.'

Hij begint meteen in de trein al, dacht Vivian. Met Homerus! Kon hij nergens anders aan denken? Maar alsof Soetaert haar gedachten raadde, vroeg hij meteen daarna: 'Maar vertel eerst eens hoe het met jou gaat.'

Ze vertelde hem over haar laatste wijncursus, de ontwikkelingen in het dorp en over Julius en Cleopatra. Van dat laatste had ze spijt toen ze de twinkeling in zijn ogen zag. Voor liefdesverhalen was hij gevoelig, zelfs als het over katten ging.

Aan het krappe aanrecht van de Margriet roerde Beau in de pan met lamsvlees. Ze zou haar gasten een gevarieerde rijsttafel voorzetten, met goed gekruide gerechten en pittige sauzen. Daar hield ze van. Je moest de smaak van het oosten op de tong hebben bij een dergelijk gerecht.

Vivian had haar bezworen het laatste stuk vanaf de bushalte met Soetaert te zullen lopen. De wandeling zou hun eetlust opwekken.

De geuren van het eten vulden de keuken. Ze had zelf ook trek. Het was inmiddels tegen zessen. Na aankomst van haar gasten zouden ze meteen aan tafel gaan. 'Primum vivere, deinde philosophari,' had Floris goedkeurend over dit plan gezegd.

Voorbij de laatste huizen van de bebouwde kom begon de zomerdijk die overbodig geworden was door het kanaal dat het gebied aan de noordzijde afsloot. Langs de weg lag verspreid een aantal bunkers in het veld, waarvan de meeste begroeid waren. Er graasden schapen omheen die de landelijke omgeving waarin ze zich bevonden accentueerden. Hoge masten in het weiland verrieden de aanwezigheid van een ijsbaan. In de verte klonk het bonken van een scheepsmotor. De scheepvaart zelf was door de kanaaldijk aan het zicht onttrokken.

Op het asfalt van de dijk inspecteerden twee kauwen de resten van een stel paardenvijgen. In de lucht vloog een zilvermeeuw over, schreeuwend, niet gewend aan bezoek.

Geleidelijk werd de weg smaller, om na een roodge-
blokte paal over te gaan in een verwaarloosd fietspad. Aan
weerszijden staken populieren de lucht in. Er ontbraken
stukken asfalt en slechts af en toe was een oprit zichtbaar.
Halverwege de populieren werd de begroeiing nog dichter.
Vlierbesstruiken helden aan weerszijden over, zonder zich
te storen aan de hekwerken rond de erven. Voorbij de populieren bekleedden braambossen, distels en brandnetels
de flanken van de dijk. De meeste percelen waren verlaten.
Een halfvergane caravan, een afgedankte wasmachine, resten plastic en twee oude jerrycans wezen op uitgestorven
leven. De natuur nam weer bezit van wat de mens had achtergelaten.

Vivian probeerde zich af te sluiten voor de omgeving.
De aanblik van het zwerfvuil bezorgde haar kippenvel. Gelukkig was het niet ver meer. Ze was een keer eerder op
de Margriet geweest. Soetaert ontging de groezelige omgeving evenmin. Hij kon zich niet aan de indruk onttrekken
in een gribus te zijn beland. Gelukkig waren ze er bijna.
Zijn voeten deden zeer van het lopen. Alles had zijn prijs
in het leven. Ook de roeping van gastdocent. Die gedachte
monterde hem op. Hij wist toen nog niet wat hem te wachten stond.

Toen hij thuis zijn spullen voor het weekend had gepakt,
had hij op aanraden van Beau een paar buitenschoenen
meegenomen. Even had hij overwogen ze thuis al aan te
trekken, maar hij wilde zich niet als een landloper in de
stad vertonen. Daarom had hij zijn leren herenschoenen
aangetrokken, die ook galanter zouden staan tijdens de
reis. Deze ijdelheid brak hem nu op. Op het laatste stuk
van de reis had hij erop gestaan Vivians tas erbij te nemen.
Toen hij de afrit naar de Margriet betrad, werkte dit alles

in zijn nadeel. Al bij de eerste stap verloren zijn zolen hun grip. Hij vloog met een salto door de lucht en gleed ijlings door de brandnetels en het natte gras de helling af naar beneden. Daar maakte een stuk schapengaas een einde aan zijn onfortuinlijke vlucht.

Beduusd lag hij op zijn rug in het hoge gras. Met gespreide armen hield hij nog altijd beide weekendtassen vast, alsof hij van een vliegtuigtrap afdaalde. Even dacht hij aan Michelangelo. Toen brandde het gif van de brandnetels los op zijn handen, polsen, enkels en onderbenen. Het voelde alsof er hete ijzers tegen zijn huid werden gedrukt. De pijn herinnerde hem aan de keren dat hij als kind kennis had gemaakt met de tegels van het schoolplein.

Vanaf de dijk zag Vivian Soetaert eindelijk zijn benen uit het schapengaas trekken en opstaan. Hij liet de tassen los om met beide armen tegen zijn lijf te slaan. Alsof hij in brand stond of een zwerm wespen probeerde af te weren. Daarna begon hij schuin langs de helling omhoog te krabbelen. Het kostte hem moeite niet opnieuw onderuit te glijden. Met zijn vrije been duwde hij het gras en onkruid opzij, alsof hij bang was op een landmijn te trappen. Zo klom hij langs de talud terug naar de oprijlaan, met een broek vol strepen. Eindelijk bereikte hij het pad. Het zweet stond op zijn voorhoofd. Hij keek Vivian hoofdschuddend aan, zonder iets te zeggen. Ze had met hem te doen, nam de tassen van hem over, zodat hij zijn zakdoek kon gebruiken, en hielp hem zijn kleren af te kloppen. Ze durfde pas te lachen toen ze een glimlach op zijn gezicht ontdekte tussen zijn grimassen door.

Door de geluiden in de keuken had Beau niets gehoord van wat zich buiten afspeelde. Ze schrok toen haar gasten ineens voor de deur stonden, met een jammerende Soetaert. Samen met Vivian loodste ze hem de caravan in, waar ze hem met zijn enkels in een bak met water zetten. Natte washandjes koelden de blaren op zijn polsen en handen. Tot hun opluchting verlichtte dit de pijn enigszins.

Toch werd Soetaert tijdens het eten, toen ze alweer grapten over zijn verassende landing op het oefenterrein, door twee vuren tegelijk bestookt: door het naprikkende brandnetelgif en door de kruiden die Beau door het eten had gedaan. Zijn mond stond in brand, hij voelde zijn lippen krullen, zijn kruin trekken en het zweet in zijn nek staan. De afbeelding aan de wand van een brandende brandweerauto met de titel 'Fireworks' probeerde hij te negeren.

Na het avondeten bekeken ze de caravans. Daarbij had Soetaert het gevoel in Villa Kakelbont te zijn beland, zo onsamenhangend was het rariteitenkabinet dat Beau om zich heen verzameld had.

Na de afwas dronken ze koffie in de voorkamer, waar Beau en Vivian zich op de bank installeerden en Soetaert beide kerkstoelen betrok, een om op te zitten, de ander voor zijn aantekeningen.

'Meine Damen und Herr.' Hij begon met de plechtigheid van een klassieke professor en rekende ook zichzelf tot het publiek dat op hun conferentie was afgekomen. 'Ik vertel u vanavond iets over Homerus, de grote dichter uit de oudheid. Daarbij let ik in het bijzonder op het motief van roeping, dat de personages in zijn epos richting en een bestemming geeft. Door hun roeping te volgen komen zij los van het platte vlak en overstijgt hun figuur het profane bewustzijn.'

Hij was vanaf het begin in zijn element en zwaaide van tijd tot tijd enthousiast met zijn aantekeningen alsof hij een bekende in de verte zag. Hij vertelde hoe koning Odysseus in vrede regeerde over Ithaka, totdat hij gehoor gaf aan het gezantschap van Agamemnon om bij te dragen aan de Griekse vloot die zou uitvaren tegen Troje. De oorlog duurde niet minder dan tien jaar.

Hij probeerde duidelijk te maken dat in de *Ilias* zowel Odysseus als Achilles niets waren zonder hun roeping. 'Odysseus zou geen held geworden zijn als hij niet zijn lotsbestemming en de inspiratie van de godin Athena zou zijn gevolgd, maar veilig in Ithaka gebleven was, zoals Kant in Königsberg.'

Deze plaagstoot was bedoeld voor Vivian. Hij vond het saaie leven van Kant een zwak punt in haar verheerlijking van de Verlichting. Wat had Kant van het leven gezien toen hij zijn kritieken schreef? Hing zijn overschatting van de rede niet samen met zijn gebrekkige levenservaring? Maar hij moest bij de les blijven en negeerde de priemende blik die Vivian hem toewierp. Ze had zijn toespeling begrepen.

Beau gaapte onderdrukt. Daarom sloeg hij de 'homerische kwestie' over de herkomst en vermeende blindheid van de dichter over en stak over naar de *Odyssee*. Urenlang kon hij nadenken over het verschil tussen de Ilias en de Odyssee. Daarbij had zich het idee bij hem postgevat dat de fantasierijke, sprookjesachtige Odyssee een kritiek bevatte op de noodlottige en gewelddadige Ilias; een kritiek die een significante overgang in de cultuur van de oudheid weerspiegelde.

Het was inmiddels halverwege de avond. Daarom stelde hij Beau en Vivian een korte onderbreking voor.

Beau zamelde de koffiekopjes in. Van haar gezicht kon hij niet aflezen hoe zijn inleiding tot nog toe gevallen was. IJzig reageren hoorde bij de manier waarop zij zich ook op school wapende tegen zijn enthousiasme. Hij wist dat ze achter die houding wel degelijk een mening had. Terug uit de keuken schonk ze drie wijnglazen in uit de fles cornas die Vivian van huis had meegenomen, een donkere, bijna zwarte bourgognewijn, waar ze samenzweerderig op klonken.

Hierop liep Soetaert nog even naar buiten, de oprijlaan op. In het donker bewaterde hij, om toch iets terug te doen, een bos met brandnetels. Hij zag hoe zijn adem uitsloeg in de avondkilte. Het zou een heldere nacht worden. Hij liep verder in de richting van de dijk. Bij de oprit bleef hij staan. Er stonden sterren aan de hemel. Je kon hier ver kijken, de polder in.

Hij keerde om en liep terug naar de caravan. Met de punt van zijn schoen, die nog klam aanvoelde door zijn droge sokken heen, schopte hij een steentje weg. Het was stil buiten. Er stond nauwelijks wind. Boven zijn hoofd zoemden muggen. Bij de buren was het donker. In de verte hoorde hij het bonken van een binnenvaartschip. Boven het grasveld en de weilanden vormde zich een nevel. Het koelde nu snel af.

Even later stapte hij de lichtcirkel van de Margriet weer in. Het rook er muf. Alsof de ruimte gevuld was met oude lucht. Even dacht hij gas te ruiken.

Hij liep door naar de zitkamer, waar Beau en Vivian met elkaar in een gesprek waren. Dat gaf hem de gelegenheid, vanwege de symboliek, zijn spullen te verplaatsen en het tweede deel van de avond vanaf de andere kerkstoel te spreken. De wisseling gaf een subtiele verschuiving van perspectief. Hij zat nu tegenover Vivian die hem vanaf de bank met een mengeling van spot en nieuwsgierigheid gadesloeg en haar gezicht half achter haar wijnglas verborg.

'Nog eens tien jaar moet Odysseus zwerven na de val van Troje. Na vele omzwervingen, waarbij hij al zijn bezit verliest, zit hij gevangen op het eiland van Calypso, de nimf die hem bedwelmt met haar schoonheid. Maar Odysseus verlangt naar huis, hoewel hij zich daarvan nauwelijks nog een voorstelling kan maken. Alle andere helden uit de oorlog zijn al thuis. Odysseus is de enige die nog gescheiden is van Penelope, die haar eigen strijd te voeren heeft met de vrijers die haar het hof maken. Telemachos, die zijn vader alleen uit de verhalen kent, is inmiddels bijna volwassen. Slechts een paar getrouwen zijn overgebleven. Koning Odysseus lijkt vergeten.

Op een gunstig moment, als de god Poseidon op reis is – hij had zich tegen Odysseus gekeerd nadat hij zijn zoon verblind had, de cycloop, door met een scherpe balk zijn oog uit te steken – doet Athena aan Zeus het verzoek Odysseus te laten terugkeren naar huis. Vanaf dat moment is het Odysseus' bestemming in zijn rechten te worden hersteld. Vermomd als zwerver komt hij wraak nemen op de vrijers, nadat de vriendelijke Faiaken hem op Ithaka hebben afgezet.'

Hier pauzeerde Soetaert om een slok wijn te nemen. Daarna ging hij verder.

'Voor Odysseus geldt dat zijn roeping zijn glorie is, méér dan zijn kracht. Die helpt hem in de Ilias nog, maar kan hem in de Odyssee niet thuis brengen. Ook Penelope heeft een roeping: om ook na twintig jaar trouw te blijven aan Odysseus. Ze leidt de vrijers om de tuin, haakt een doodskleed dat ze 's nachts weer uithaalt en bedenkt de wedstrijd met de boog van Odysseus, die niemand spannen kan dan hij.'

Soetaert hield van de rol van Penelope, maar Beau kon zijn sympathie niet waarderen. 'Sorry Floris,' viel ze hem in de rede, 'maar ik snap niet wat er inspirerend is aan

Penelope. Om doelloos thuis te zitten wachten, totdat ze grijs is! Terwijl Odysseus degene is die van huis wegloopt en haar verraadt met zijn avonturen. Zo doen alle mannen het en Homerus sanctioneert het!'

Hij kon antwoorden dat Odysseus zich verzet had toen hij geronseld werd door zich als waanzinnig te gedragen, maar wilde haar vraag terugbuigen naar de functie van Penelope in het verhaal. Zo zou hij zijn conclusies overeind kunnen houden, die haar kritiek voor een deel tegemoet kwamen. Uiteindelijk koos ook Homerus, of anders zijn critici die in de Odyssee zijn pen hadden overgenomen, voor 'de vrouwelijke lijn.' Maar zover was hij nog niet.

Hij antwoordde dat men de rol van Penelope niet letterlijk moest nemen. In de verteltechniek van de dichter diende haar rol het effect dat hij met de Odyssee als geheel wilde bereiken: 'Anders dan de smaak van willekeur, die de lezer aan de Ilias overhoudt, wil de Odyssee vertrouwen wekken in de goede afloop; vertrouwen dat degene die verstandig handelt beloond zal worden. Alleen het slot is krijgshaftig, maar dat staat in het kader van de rechtvaardige wraak van Odysseus. De trouw van Penelope versterkt het contrast met de liederlijkheid van de vrijers. Afstotend is niet Penelope, maar de vrouw van Agamemnon. Zij kreeg genoeg van het wachten. Toen de grote Agamemnon thuiskwam uit de oorlog werd hij door haar toedoen van het leven beroofd in zijn eigen bad, nadat eerst in de eetzaal de wijn had gevloeid op zijn voorspoedige terugkeer. Sindsdien beklaagde de verbaasde generaal zijn lot in de Hades.'

Soetaert kwam bij de ontknoping. Zonder omwegen stelde hij nu dat Odysseus *moest* zwerven: 'Het dient een doel dat hij over de zeeën zwalkt, zijn schepen kwijtraakt, zijn manschappen en bezit. Alles verliest hij, behalve zijn gezonde verstand. De jaren die Odysseus extra van huis is dienen zijn loutering. Hij is berooid en wanhopig, maar ontdekt dan met de hulp van de godin Athena zijn grootste, innerlijke kracht. De omslag van de Ilias naar de Odyssee illustreert de overgang van de oude aristocratische waarden naar een democratisch wordende samenleving. Heroïsche doelen zijn in de nieuwe tijd een pose geworden. Odysseus' ballingschap vraagt om een andere mentaliteit. In de Odyssee zien we de maatschappijkritiek verwoord van een stel jonge dichters die kritiek hebben op alle geweldsverheerlijking en de oude waarden van rijkdom, macht en aanzien. De Odyssee geeft een ander antwoord op de problemen van de samenleving.'

Soetaert zat op het puntje van zijn stoel en helde gevaarlijk voorover. Als zijn stoel zou kantelen zou hij languit op de tafel geworpen worden als een vis op het droge. Ongemerkt zocht hij met zijn vrije hand steun bij de tafelrand. Vivian volgde het tafereel met ingehouden adem en beet op haar lip. Hij was niet meer af te remmen.

'De traditionele heroïsche waarden vertegenwoordigen voor de dichters van een nieuwe generatie een benauwende visie. Vergelding en geweld: dat antwoord volstaat niet meer. In de Odyssee moet Odysseus zijn aristocratische bagage transformeren tot een houding van wijsheid en geduld.'

Met deze woorden was Soetaert bijna aan het einde van zijn voordracht. Terwijl hij terugschoof op zijn stoel, om nu de achterpoten ervan te beproeven, hield hij zijn slotbeschouwing.

'De Ilias en Odyssee zijn niet van gelijke inhoud en strekking, maar vragen om een dialectische benadering. De Odyssee is ten opzichte van de Ilias hetzelfde anders: we

vinden er dezelfde aristocratie in terug, maar nu verinner-
lijkt, praktisch en ethisch. Zelfs de rol van de goden wordt
hierdoor beïnvloed. Zeus is in de Odyssee niet langer een
wildebras, maar een soeverein heerser. Samen vormen de
Ilias en Odyssee de twee ogen waarmee de hellenistische
cultuur de wereld aanschouwt. Het ene oog ziet helder, het
andere is vertroebeld. Daarbij is, anders dan wij misschien
zouden denken – hier wachtte hij een moment om het effect
van zijn woorden te versterken en omdat hij dit als zijn fijn-
ste conclusie beschouwde – het heldere oog dat van de zelfkennis en introspectie. Homerus is een lofzang op de geest!'

Na deze woorden bleef het stil in de caravan. Soetaert kon
de reactie van Vivian en Beau niet peilen. Beau leek hem
nog klaarwakker. Maar die indruk kon ook gewekt worden door haar blonde kuif, een van haar handelsmerken,
in combinatie met de gekleurde leren jasjes die zij droeg.
Schuin tegenover hem op de bank te midden van haar rariteitenkabinet deed zij hem denken aan een toekan uit het
Amazonegebied die verdwaald was in de polder.

Vivian zat onderuitgezakt op de bank en keek hem aan
met een slaperige glimlach. Hij meende er waardering in te
ontdekken, maar misschien was het spot?

Ze besloten de discussie uit te stellen en het niet laat te
maken.

Soetaert liep nog een keer naar buiten. De sterren ver-
hieven zich nu op volle sterkte boven de dijk. Uit de sloot
achter de caravan klonk langgerekt gekwaak. In de verte
weerklonk de roep van een nachtdier dat hij niet thuis kon
brengen. In de bosjes naast de oprijlaan liet zich een krekel
horen, aarzelend, om daarna weer te zwijgen. Alsof hij niet
zeker was van zijn roeping.

6 | Amor sui

Het klagende geloei van een koe in het weiland vlak bij de caravans maakte Soetaert wakker. Even wist hij niet waar hij was. Te snel overeind gekomen, de apparatuur van zijn bewustzijn nog in slaapstand. Zonder bril zag hij alleen de contouren van de dingen om zich heen, de kastenwand, oude rookstoel en papieren bollamp aan het plafond. Aan de wand hing onduidelijk gereedschap, omlijst door de gloed van vroeg zonlicht. Alleen Hefaistos met zijn mankepoot ontbrak nog.

In de kamer van Beau en Vivian achter de dubbele schuifdeuren was het nog stil. Daarop besloot hij een ochtendwandeling te maken, met een vluchtige trui over zijn nachtkleding. Hij schrok van zijn krakende enkels toen hij opstond, maar gelukkig bleef het stil in de caravan. In slalom begaf hij zich naar de keuken. Bij de buitendeur drukte hij op zijn tenen met beide handen de deurkruk naar beneden. Even later stond hij buiten.

Traag liep hij in de richting van de dijk. Zijn tred werd bij iedere stap vaster. Met nieuwe energie klom hij omhoog, de dijk op. Hij voelde de helling in zijn kuiten.

Hij hoorde de populieren in de verte ruisen, keek naar

de huid van de oude perenboom vlakbij en volgde een duif die klapwiekend opschoot uit het struikgewas. Uit de richting van het kanaal klonk twee keer kort achter elkaar het krassen van een fazant. Hoog boven zijn hoofd vloog een rij trekvogels over, ritmisch op weg naar het zuiden. Tocht met een doel. Trek zonder vragen. Orde, groepsgevoel, instinct.

Boven de weilanden hing de ochtendnevel. Grazende koeien staken er hun kop boven uit. Hij zag hun dampende neuzen. Mystiek spel. Onschuld.

Hij rilde. Het was nog fris.

Toen hij zijn wandeling inzette verjoeg de beweging de laatste loomheid uit zijn ledematen. Hij dacht terug aan zijn inleiding. Was hij duidelijk geweest? Hij had geen tijd meer gehad de queeste van Jason en de Argonauten en de mythe van het Gulden Vlies nog aan te roeren. In beide mythen stond, net bij Odysseus, een zoektocht met het karakter van een levenstaak centraal.

Daartegenover stonden meer introverte verhalen, zoals van Pygmalion, de beeldhouwer die verliefd werd op zijn eigen beeld, en van Narcissus, die in de ban raakte van zijn spiegelbeeld. Wandelend over de dijk zag hij Pygmalion voor zich, van de vroege ochtend tot de late avond hakkend in het marmer, totdat hij zijn volmaakte beeld van de liefde gecreëerd had, de gelijkenis van de godin Afrodite die hij bij de rivier had zien baden. De beeldhouwer werd verliefd op de ivoren schoonheid van zijn eigen beeld, praatte ertegen, omarmde het, bracht het eten, drinken en juwelen. Daarop verhoorde de godin zijn gebed hem een vrouw te schenken die zou lijken op zijn beeld. Door Pygmalions omarming werd het koude marmer na zijn terugkeer uit haar heiligdom levend: de blinkend schone Galatea.

Verrukkelijk was hier het spel van idem aliter, beeld en gelijkenis. Want wie was Galatea: beeld van Pygmalions fantasie, gelijkenis van de godin, gelijkenis van het beeld van haar gelijkenis zoals dit op zijn netvlies was achtergebleven, beeld van zijn vakmanschap waarin hij zijn verbeelding uitdrukte, of gewoon zichzelf, zijn vrouw en de moeder van zijn kinderen?

Het verhaal van Narcissus was droeviger. Narcissus werd verliefd op zijn weerspiegeling in het water, was doodongelukkig en onbereikbaar voor Echo, de gestrafte nimf die slechts kon herhalen wat hij haar toeriep. Zo kwijnde Narcissus weg. Ovidius kon het verhaal geen positiever slot geven dan hem na zijn dood als bloem te laten voortbestaan. Wilde hij ermee uitdrukken dat niet elke vorm van 'egoïsme' meteen een stinkende bloem is en zelfliefde geen autistisch drama? Even hield Soetaert zijn pas in. Nee, de liefde van de mens voor zichzelf had een vitale kern. Hoe dubbelzinnig de Pythia van Delphi ook gesproken had, dit was de centrale opdracht van het orakel: ken en aanvaard uzelf.

Een stel paardenvijgen dwong hem zijn koers te verleggen. Op het laatste moment stapte hij er schuin overheen. De verandering van ritme leidde ook zijn gedachten in andere banen.

De man in trainingspak merkte hij pas op toen hij bijna tegen hem opliep. Geschrokken wilde hij zich verontschuldigen, totdat hij de loerende ogen van zijn onverwachte tegenligger zag onder de rand van een vettige baseballpet. De man droeg een glimmende zwarte sportjas waarover een zilveren schakelketting afhing. Alsof hij burgemeester was. Van dichtbij rook Soetaert de zurige geur van de coffeeshops in de stad. De man ademde zwaar. Alsof zijn gespierde nek hem bij het ademhalen in de weg zat.

'Wat moet je hier?'

De man stelde zich agressief op, evenals de boxer die hij aangelijnd hield, een rillende teef die avontuur rook door Soetaerts dunne pyjamabroek heen. Zonder zijn blik van het beest af te slaan – vrucht van zijn ervaring met honden in de stad – schermde hij in een reflex zijn klokkenspel tegen de vochtige neus van het beest af. Wat gebeurde hier? Waar was hij beland? Op de openbare weg, in een groezelig stuk uiterwaard, vroeg in de ochtend, nog half in pyjama. Hij had zich beter moeten aankleden!

Gelukkig was hij niet bang, eerder beduusd.

Dat veranderde toen de man een arm op zijn schouder plantte om zijn woorden kracht bij te zetten en aan hem rammelde als aan een loszittende schutting.

'Ik dacht dat ik iets vroeg!'

Nu was het de man die blafte, met de schittering van een gouden boventand. Dwingend duwde de arm, die oefening op een sportschool verried, Soetaert terug in de richting vanwaar hij gekomen was, reden voor de boxer om vals mee te tippelen en zijn kans in de tweede ronde af te wachten. Even probeerde Soetaert zich aan de greep op zijn schouder te ontworstelen. Toen besefte hij dat het de man menens was. Kennelijk zag hij hem aan voor infiltrant, rechercheur of iets dergelijks, en had hij iets te verbergen in het witte boerderijtje verderop, waar hij met de boxer de dijk moest zijn beklommen.

Koortsachtig zocht hij naar woorden. Maar het leek wel of zijn gehemelte verkleefd en zijn spraakwater bevroren was. Hij bracht alleen een paar onduidelijke klanken voort, als bij het horten en stoten van een optrekkende stoomtrein.

'Nou?'

De man begon zijn geduld te verliezen. Op zijn onderarm zag Soetaert de tatoeage van een palmboom met een vrouwennaam in rode inkt. Caribische kitsch. Mislukt zeemansavontuur. Machteloos opportunisme. Maar het was nu geen tijd voor reflecties. Vanuit zijn ooghoeken zag hij dat de teef met zijn nagels over het wegdek krabde en aanstalten maken om te springen.

Eindelijk lukte het hem een zin te vormen. Hij mompelde iets over onschuldig wandelen op de openbare weg. Daar dacht de man anders over. Hij kende het Wetboek van Strafrecht waarschijnlijk van dichtbij. Soetaert herkende in zijn voorkomen de drugdealers en pandjesbazen uit de stad.

'Opgesodemieterd!'

Ruw wierp hij Soetaert van zich af. Daarbij schraapte zijn knie rakelings langs het wegdek. Toen de man de hondenlijn liet vieren, deden de kaken van de teef alsnog een aanval op zijn flank, maar misten op een haar na doel. Door de dunne stof van zijn pyjama heen voelde Soetaert de warme klodder die het beest op zijn dijbeen achtergelaten had.

'We kunnen hier geen pottenkijkers gebruiken!'

Wijdbeens, zijn armen over elkaar geslagen en met een superieure tronie op zijn gezicht versperde de sportschooladept de doorgang. Zo moest hij 's avonds als uitsmijter bij de ingang van de disco staan, trots op zijn kracht en opgewonden door het gefluister van de giebelende meisjes die op zijn strakke mouwtjes afkwamen als vliegen op de stroop. Gelukkig hield hij de boxer aangelijnd met zijn geplooide rotkop, huilerige kwijlbek en gecoupeerde knolstaart.

Toen Soetaert de man van afstand nog een keer aankeek, stampte hij lachend en quasi dreigend op de grond, tot plezier van de hond, die kwispelend tegen hem opsprong.

Op weg naar huis voelde hij de schrik in zijn benen; vrees die zich vastbeet in zijn spieren; huiver die zijn zenuwen liet zingen; walging die tot een opstopping in zijn maagstreek leidde. De nieuwe dag was weer vrolijk begonnen. Grondig verwenste hij zijn angstvalligheid eerder op de ochtend om geluid te maken. Waarom had hij zich niet normaal aangekleed? Een ander zou zijn keel geschraapt hebben, goedemorgen hebben geroepen of thee zijn gaan zetten. Wat maakte het uit als er een broeksriem rammelde? In zijn spijkerbroek had hij sterker gestaan; zeker tegenover de teef.

Na het ontbijt dronken ze koffie op het plateau voor de Margriet, waar aan weerszijden nog de waslijnen van de vorige eigenaar hingen aan oude betonpalen. De grindtegels waren overdekt met mos. Een aantal was gebroken. Ook het tuinmeubilair was aan vervanging toe.

Gelukkig scheen de zon. Het zonlicht kwam al boven de afgeknotte essenstammen langs de oprijlaan uit.

Het plan was dat ze eerst kort over Nietzsche zouden discussiëren als gemeenschappelijk raakvlak, om daarna de fiets te pakken naar een heuvelrug twintig kilometer verderop, waar een oud bunkercomplex te bezichtigen viel. Soetaert had Beau en Vivian niet verteld over het incident op de dijk. Nu hij in de zon zat en van zijn koffie genoot kwam heel de scene hem onwerkelijk voor.

Beau voorzag haar gasten nog en keer van koffie en nam het voortouw voor de discussie. Ze had flink wat over Nietzsche gelezen als voorloper van de surrealisten. Als opmaat schilderde ze eerst een beeld van Markies de Sade en Max Stirner, pioniers van het absurde levensgevoel. Soetaert amuseerde zich over de felheid waarmee ze haar helden van stal haalde.

'Stirner beschouwt de eredienst van de eeuwigheid als een leugen en noemt het geloof in eeuwige ideeën "iets voor mongolen." Alle verwensingen van de 19e eeuw zijn nodig om het individu te ontzetten, een bevrijding waarvan ook Markies de Sade droomt.'

Daarna besprak ze een aantal ideeën van Nietzsche, totdat Soetaert, die zin had om te gaan fietsen, haar onderbrak.

'Denk je niet dat "de dood van God" bij Nietzsche tot nieuwe vormen van absolutisme leidt? Zijn droom eindigt in een nachtmerrie, net als bij zijn voorgangers. De Sade eist de totale vrijheid op voor het individu en belandt in het gesticht. Stirner eindigt dronken van vernietigingsdrang. Nietzsche ten slotte...'

'Het einde van Nietzsche is mij bekend!'

Geïrriteerd onderbrak Beau hem. Daarbij trok ze geërgerd aan haar cyaanblauwe jasje, snoof en stak haar kin de lucht in. Haar kuif blikkerde in het zonlicht. Soetaert herkende de mimiek. Beau was bezig op stoom te komen en zou spoedig het oorlogspad kiezen.

'Weet je wat het met jou is? Jij begrijpt niets van het lijden van pioniers als Stirner en Nietzsche! Wat begrijp jij van de eisen die de filosofen en kunstenaars van de 19e eeuw aan zichzelf stellen? Nietzsche pakt het systematisch aan. Hij vindt dat ook alle afgodsbeelden vernietigd moeten worden die "de dood van God" nog camoufleren: de moraal, het idealisme, alle bestaande waarden. Hij wil vernietigen om te scheppen en de mens te bevrijden van zijn spiegelbeeld in alle zedelijke constructies. Nietzsche gooit de spiegel aan stukken, de lachspiegel van de moraal.

Hij weigert te geloven in hogere waarden. De aarde is zijn waarheid. Die wil hij trouw zijn. Hij wil geen medelijden, liefde of vergeving. Hij gelooft in de mens als schepper van zijn eigen toekomst!'

Soetaert liet zich niet door haar felheid intimideren. Daarvoor hadden ze al te vaak gediscussieerd.

'Is Nietzsche werkelijk vrij?' Bij deze vraag schoof Soetaert naar voren in zijn tuinstoel, een teken dat hij alert was. 'Of onderwerpt hij zich opnieuw? Nu niet aan God, de kerk of het idealisme, maar aan zijn vergoddelijking van mens en wereld? Zijn hooggeroemde vrijmaking van de geest eindigt dramatisch. Hij sterft waanzinnig, op de drempel van een eeuw waarin zijn aanmatigende ideeën op fatale wijze zouden worden opgepakt.'

'Je kunt het inderdaad niet laten, hè?' Beau liet zich evenmin overbluffen. 'Waarom moet je het levenseinde van Nietzsche erbij halen? Doet dat iets af aan zijn genie? Over het levenseinde van Van Gogh hoor je toch ook niemand? Dat komt toch ook niet in mindering op zijn kunst? Het is andersom! Passie is een voorwaarde om tot kunst en ware filosofie te komen. Dat leert Nietzsche ons: Leidenschaft!'

'Ik houd vol dat zijn vrijheidsidee niet klopt. Wat houd je over als je een streep zet door alle moraal, religie en metafysica? Bij Nietzsche loopt de mens rond zonder doel, hoop en richting. Hoort bij vrijheid niet het opnemen van plichten? Ik meen dat Camus dat ergens zegt. Als ik niet vrij ben om lief te hebben, is vrijheid een mythe.'

Met zijn toespeling op Camus wilde Soetaert Vivian bij de discussie betrekken, maar zij zweeg als de generaal in de oude krijgskunde, die wist de strijd te zullen winnen door als laatste te schieten.

Soetaerts opmerking over de liefde raakte een gevoelige snaar bij Beau. Ze wierp hem een gepijnigde blik toe. 'Wat? Kom je nu gewoon weer met de liefde aanzetten? Die dekmantel van alle kwaad? Wat ben je toch naïef, Floris! Je hebt toch Dostojevski gelezen? Over Iwan, die de prijs weigert. De starets kan honderd keer zeggen dat men schuld door liefde uitkoopt, Iwan weigert een dergelijke koehandel. Hij houdt zijn rug recht en wil van geen genade weten.'

'Hij staat zichzelf niet toe goed te doen.'

'Ik geloof niet dat het zin heeft om met jou te discussiëren.'

'Waarom niet? Het begint net leuk te worden!'

'Dat bedoel ik nu, die sarcastische ondertoon!'

'Beau, laten we het gezellig houden. Het is weekend, de zon schijnt en ik wil je niet beledigen. We discussiëren om de waarheid boven tafel te krijgen. Jij verwijt mij dat ik naïef ben. Ik vind dat jij de risico's bij Nietzsche onderschat. Je ziet wel de glorie, maar niet het fiasco van zijn vrijheidsbegrip.'

Hierop reageerde Beau als door een wesp gestoken.

'Het fiasco? Floris, je begrijpt niet of wilt niet begrijpen dat Nietzsche en de andere dichters en filosofen van het absurde in opruiing en zinloosheid een *scheppingsmethode* zoeken. Dat is toch prachtig? Het wezen van de avant-garde! Met hun verzet tegen de beau monde en de conventie, in een wereld vol oorlogshitsers en kapitalisten, willen zij met hun sabotage, spot en lichtzinnigheid vorm geven aan een nieuw ideaal. Nietzsche gaat hun voor in de ontmaskering van de leugen. Hij hakt net zo lang met de beitel van zijn kritiek totdat de ware vorm gevonden is: de vrijheid van het individu. Zo ziet hij ook de kunst, als vrije expressie.'

'L'art pour l'art?'

'We moeten af van vooropgezette ideeën over mooi en lelijk, goed en slecht. Je moet je eigen vorm durven zoeken en eigen regels stellen. Daar gaat het om. De surrealisten prediken het evangelie van de wanorde omwille van de vrijheid.'

Soetaert had moeite zijn gezicht in de plooi te houden. Wat een felheid – om niets! Hij vond haar pathos en de droom van de surrealisten aanstellerij, een dans om de totempaal van een leeg vrijheidsbegrip.

Beau deed alsof ze zijn grimas niet zag.

'De surrealisten breken met alle voorgegeven waarden, bejubelen de onschuld en vernietigen de moraal.'

'Hoera. Allemaal als adepten van Nietzsche.'

Beau negeerde zijn woorden. Ze liet zich niet nog eens provoceren. 'De eerste surrealisten verkeren nog in de salons. Daarna keert de beweging zich openlijk tegen de bourgeois. Wat telt voor hen is het onbewuste, de droom, het irrationele. Maar ik geloof niet dat jij feeling voor hebt voor dit soort noties. Jij bent meer het type *Schöngeist* dat zich thuis voelt bij uitgekauwde waarden als liefde en hoop. Met de klamboe van je traditionalisme wil jij de wanorde en zinloosheid van je bed houden.'

Soetaert had willen antwoorden dat het *hem* duidelijk was dat zij van de vrijheid een nieuwe religie maakte, die niet voor de oude metafysica onderdeed in onderwerping. Beau ruilde de ene vorm van absolutisme in voor de andere, absolute gehoorzaamheid voor absolute vrijheid. Zijn adagium leerde dat hier een tweekoppig monster in het spel was en beide waarden, op de spits gedreven, hol en bol waren.

Maar hij wilde de spanning niet opvoeren. Hij wilde naar de bossen en troostte zich met de gedachte dat zijn adagium hem hielp positie te bepalen.

'Ach Beau, wanhoop, zinloosheid... Volgens mij is het weekend en wacht het bos. Laten we gaan fietsen en er op een ander moment op terugkomen.'

Na deze woorden stond hij op, stopte zijn handen in zijn zakken en keek speurend de tuin in, in de hoop dat zijn afleidingsmanoeuvre werkte. Tot zijn opluchting trok Beau haar schouders op en begon ze de koffiekopjes op te ruimen. Daarna verdween ze in de keuken om de picknickmand te vullen voor hun *Ausflug ins Grüne*.

Vivian was verbaasd over de wakkerheid van Soetaert in het gesprek. Had ze goed gehoord dat hij het opnam voor de vrijheid om lief te hebben? Hoe vrij was zij dan? Ze had altijd gezworen bij een vrijheid die niemand nodig had. Als iemand te dicht in haar buurt kwam, trok ze de loopbrug op, zoals vroeger in het dorp gebeurde bij de komst van zigeuners. Was ze niet te streng geweest? Misschien misgunde ze zichzelf de vrijheid om lief te hebben. Bij die gedachte voelde ze een warm gevoel opkomen en daarna iets van een ontlading, alsof er een fles champagne ontkurkt werd en het mousserende elixer dat lang opgesloten had gezeten tussen de dikke fleswanden bruisend werd uitgestort.

Ze sloeg haar ogen op en zag het silhouet van Floris in het ochtendlicht voor zich. Hij speurde nog altijd de tuin in. Monsieur le penseur. Waaraan dacht hij? Waarschijnlijk aan het stugge steekspel met Beau van zo-even. Ze glimlachte en voelde hoe de zon aan kracht won. Het zou een mooie dag worden.

Toen ze opnieuw naar hem keek, voelde ze iets van geluk. Alsof ze Adam op de rug zag in de paradijstuin van de Hollandse provincie. Hun zwijgende entre-deux op het terras voor de Margriet straalde eenzelfde harmonie uit als hun laatste ontmoeting in de stad.

Soetaert voelde de ogen van Vivian in zijn rug en draaide zich om. Daarop schonk ze hem een knipoog, met een lach op haar gezicht. Het ontgrendelde de deur van haar gevoelens en voelde als het begin van een kus. Ze bloosde. Vlug stond ze op en haastte zich naar binnen om Beau te helpen bij het pakken voor de middag. Waarom kon ze niet stoppen met glimlachen?

De weg naar de bossen voerde bij het kanaal vandaan het land in. Ze reden op de twee fietsen die beschikbaar waren. Beau had de picknickmand op haar bagagedrager gebonden, Vivian zat bij Soetaert achterop. Ze hadden de wind mee en namen zwijgend het landschap in zich op.

Beau dacht aan de bunkers. Het complex had verschillende ingangen, maar ze wist niet goed meer hoe het onderaardse gangenstelsel liep.

Vivian dacht aan de liefdes van Camus. Met Simone, zijn eerste vrouw, die rijk was maar verslaafd aan opium, was hij maar kort getrouwd geweest. Lang en dramatisch was zijn huwelijk met Francine. Op en achter het toneel beminde hij de Spaanse Maria Casarès, zijn 'oorlog en vrede.' Francine werd grillig en onberekenbaar door Camus' escapades. Ze werd een periode opgenomen in een kliniek, waar ze uit het raam sprong en haar heup brak.

Camus distantieerde zich van zowel Sartres vergoddelijking van het absurde als van Kierkegaards sprong in het geloof. Bij Kierkegaard overheerste de angst. Camus noemde zijn hond daarom Kirk: angsthond. Anders dan de Deense filosoof wilde Camus niet bij de wanhoop vandaan lopen, maar de onbegrijpelijkheid van de wereld en de eindigheid van de mens *aanvaarden*.

Ze reden over een pad dat door de zoom van het bos naar een oude zandwal voerde. Daar zouden ze lunchen, niet ver bij de bunkers vandaan.

Onderaan de zandwal parkeerden ze hun fietsen. Daarop liepen ze door het mulle zand omhoog. Bovenop de heuvel, waar het minder steil was, installeerden ze zich onder de vliegdennen en jeneverbesstruiken voor de lunch. Vivian en Beau trokken hun schoenen uit en begroeven hun voeten in het zand. Soetaert strekte zich op zijn rug, vouwde zijn handen onder zijn hoofd en luisterde naar het ruisen van de boomtoppen. In zijn ooghoek zag hij Beau een tafellaken uitspreiden en toastjes, kaas, paté en een fles rosé tevoorschijn halen. Hij sloot zijn ogen en zag Manets *Petit déjeuner sur l'herbe* voor zich. Normaal deed hij boodschappen rond dit tijdstip, bij de kaasboer, notenkraam en Turkse bakker. Nu zat hij aan een picknick en was hij verwikkeld in een weekend vol onverwachte wendingen, met brandnetels, honden, knipogen en discussies waarin de naakte waarheid zich vooralsnog verborg.

Tijdens de lunch was het woord aan Vivian. Ze schetste een portret van haar geliefde Franse schrijver, Albert Camus, aan de hand van zijn roman *De val*. Keerpunt in het leven van de tobbende hoofdpersoon was de sprong van een vrouw in de Seine. Hij had haar als ooggetuige niet gered maar laten verdrinken, waarop hij tevergeefs probeerde zijn schuldgevoel kwijt te raken. Sommige kansen biedt het leven maar één keer.

Op hun hoge plek in het bos aten ze stokbrood met Franse kaas, pistachenoten en druiven en dronken ze, dorstig van de fietstocht, flink van de rosé.

Soetaert genoot van Vivians verhaal. Ze had haar broekspijpen opgerold en mouwen opgestroopt. In het zonlicht dansten haar haren gelijkmatig om haar gezicht, zoals alles gelijkmatig aan haar was. Ze hield waarschijnlijk van Camus omdat hij consequent was, een consequent humanist.

Toen hij tegen het zonlicht in naar de fietsen beneden keek, veerde hij op van schrik. In een flits meende hij *de man met de hond* te zien lopen. Maar toen hij nog eens keek, nu met zijn hand boven zijn ogen, zag hij niets. Kennelijk hadden zijn ogen hem bedrogen en hallucineerde hij.

'Met de berusting rekent Camus al vóór de oorlog af door een vorm van geluk te verdedigen die – het klinkt tegenstrijdig – uit de *af*wezigheid van de hoop wordt geboren. Hij keert zich tegen een vorm van hoop die het lijden rechtvaardigt en vlucht uit het bestaan. Hij wil de absurditeit van het leven aanvaarden. Daarbij geeft hij een eigenzinnige interpretatie van de mythe van Sisyfus en zijn steen. De slotzin bij Camus luidt: "Wij moeten ons Sisyfus voorstellen als gelukkig." Wie die zin begrijpt, heeft hem begrepen. Iedereen zegt: Sisyfus is beklagenswaardig. Hij rolt zijn steen elke keer vergeefs tegen de berg op. Camus prijst de volhouder in Sisyfus, die niet wacht op verlossing van buitenaf, maar zijn lot aanvaardt en zijn last op zich neemt.

Camus laat zien met welk vluchtgedrag de mens behept is en keert zich tegen wat hij noemt de "romantische droomvergiftiging." De romantische hoop is passief en onbestemd, een sentiment. Camus wil, net als Nietzsche, de aarde trouw blijven. Anders dan Nietzsche houdt hij wel een moraal over. Waar de vrijheid van de één raakt aan die van de ander, ontstaat verantwoordelijkheid. Het inspireert hemzelf tot deelname aan het verzet. Daar ontdekt hij dat mensen gezamenlijke beelden van hoop nodig hebben voor de toekomst.'

'Hij laat dus toch een vorm van hoop toe?' Soetaert probeerde met haar verhaal mee te denken.

'Inderdaad, zolang die niet romantisch is.'

'En de mens zichzelf blijft...'

'Dat is het prangende punt. Camus zet een streep door alle idealen die de mens bij zichzelf vandaan trekken. Hij wil waken tegen wat de menselijke maat overstijgt: ideologieën, partijdiscipline, religie, revoluties. Voor Camus is de mens zijn eigen doel en zijn enige doel. Hij moet zelf zin geven aan zijn bestaan en kan zijn medemens pas ontdekken als de eeuwigheid uit de liefde is gehaald.'

'Zoals bij de barmhartige Samaritaan?'

'Ik geloof dat Camus barmhartig was, meer dan Sartre in ieder geval met zijn snerpende atheïsme. Toen Camus het na de oorlog voor de gemeenschap opnam, negeerde Sartre hem zonder na te kunnen laten hem via een van zijn medewerkers van "een Rode Kruismoraal" te betichten. Je hebt verliezers en slechte verliezers. Camus won de Nobelprijs.'

'Men herkende iets in zijn werk?'

'Hij kreeg de Nobelprijs voor de literatuur. Men herkende de sfeer in zijn romans, het gevoel van beklemming. Maar dat vinden we ook bij Kafka, Sartre en Beckett. Ik denk dat de herkenning dieper zit. Sartre zegt: "de hel, dat zijn de anderen." Daarmee breek je misschien een systeem open, je bouwt er geen toekomst mee op.'

Ook Beau mengde zich in het gesprek, opkijkend van het schoonvegen van haar voeten. Maar Soetaert had zin om naar de bunkers te gaan. Daarom stond hij op toen Vivian was uitgesproken. Ook Beau stond op. Toen hij zag dat Vivian moeite had overeind te komen in het mulle zand, reikte hij haar de hand. Ze aanvaardde zijn hulp werktuigelijk. Toen hij haar hand net iets langer vasthield, subtiel gebaar van zijn kant, keek ze hem aan met een blos op haar gezicht. Daarna vermande ze zich, lachte en knipoogde.

Zoveel tekentaal tegelijk kon Soetaert niet verwerken. Verward bleef hij staan. Tot hij de geur rook van het naaldbos, nee amandelbloesem, de Algerijnse lente! De opwinding bracht zijn ledematen in beweging.

Van opzij keek Beau of er iets aan de hand was. Daarop simuleerde hij het wegslaan van een insect en stoof als een dolle hond de zandwal af. Beau keek hem hoofdschuddend na. Ze doorzag zijn imponeergedrag en keek naar Vivian. Die haalde haar schouders op, keek weg en zich bukte om haar schoenen aan te trekken. Beau wist genoeg. Dus toch, dacht ze, het gebeurt waar je bij staat! Vonken die overslaan, bos dat in brand vliegt, wissels die de richting van kilometers spoor bepalen. Even wist ze niet hoe ze moest reageren. Toen draaide ze zich om, pakte haar zakdoek en snoot haar neus.

Ze fietsten naar de bunkers die grotendeels door de heuvels van het bos overgroeid waren. Het complex was verwaarloosd en trok nauwelijks bezoekers. Op een verdwaalde jogger met oordoppen na waren ze niemand tegengekomen.

Ze parkeerden hun fietsen opzij van de eerste bunker en gingen te voet verder. De voorste bunkers waren half overdekt met zand en bosgrond, de achterste bijna geheel. Van sommige bunkers was een deel van de geschutskoepel nog intact. Soetaert was enthousiast over de architectuur en zag in zijn verbeelding het verleden tot leven komen. Daar was hij historicus voor. Vivian hulde zich in stilzwijgen en dacht na hoe ze Beau moest aanspreken. Beau verweet zichzelf dat ze haar zaklamp thuis had laten liggen. Daardoor zou het behelpen worden in de achterste twee bunkers. Zonder het te willen zien, zag ze hoe Soetaert Vivian bij elk afstapje hielp. Alsof ze blind was of zwakbegaafd. Ze had geweten dat het een risico was hem mee te vragen. Het voorstel van Vivian was te spontaan geweest. Waarschijnlijk kende zij haar eigen gevoelens niet goed. Even voelde ze een steek van jaloezie. Om het gebeuren, niet om Floris, die haar type niet was. Hoe zou Magritte in deze situatie reageren? 'Conventie, dames en heren, conventie. Het is allemaal conventie!' Daarbij zag ze hem in haar verbeelding jolig zijn bolhoed in de lucht werpen. Ze lachte hardop om haar fantasie, totdat ze de bezorgde blikken van Vivian en Floris opmerkte en zweeg.

Haar ergernis zou ze wel op het doek smijten als het weekend achter de rug was. Zo werkte het met het ventiel in haar systeem. Ze reageerde zich af met verf en penselen, gooi- en smijtwerk. Trillend liet ze dan haar gevoelens de vrije loop als de stieren in de straten van Pamplona, zette muziek op, kleedde zich uit, struikelend over haar kleren, alsof ze als eerste de zee in wilde duiken, greep haar verfpotten en penselen als wapens in de strijd, gromde een aantal keer diep achterin haar keel als de vrienden van Tarzan in de rimboe, volgde met samengeknepen billen de prikkels die in haar opkwamen als bellen uit de moerasbodem, schudde met haar borsten, hief haar kin, hoger en hoger, als teken van de komende overwinning, kromde zich als een tijger en trok als een Afrikaanse medicijnman joelend ten strijde tegen het doek dat weldra zijn onschuld zou verliezen, zodra zij haar eerste speren zou werpen en haar verfbussen zou afvuren als het tetterende waterkanon van een olifant die eindelijk de rivier bereikt had na een lange tocht over de steppe.

De verf kwam behalve op het doek ook op de wand terecht, de vloer, haar gezicht en huid. Het deerde haar niet. Ze ging op in het moment, schilderde op het ritme van de muziek en ving de rondspattende verf met haar blote lijf op als Berbervrouwen de eerste regen in de Sahara. De douche was geduldig, de volgende ochtend stond ze weer voor de klas en niemand hoefde te weten hoe zij het klaarspeelde haar kleuren zo levendig van het doek te laten springen.

Ze waren gevorderd tot de achterste bunker, waar roestige geleiders naar een lager gedeelte voerde, een met baksteen gemetselde kuip waarop in de hoek een bunkergang uitmondde. Dat moest de ingang zijn van de ruimte die Beau zich herinnerde.

Moedig bood ze aan voorop te gaan. Misschien herkende ze de weg. Maar al na een halve meter stootte ze in het aardedonker op een muur. De gang maakte een haakse bocht naar rechts en daarna nog eens. Floris en Vivian volgden haar, voetje voor voetje tastend in het donker. Ze kwamen uit in een gang die parallel liep met de buitenwand. Het plafond was hier hoger, waardoor ze rechtop konden staan.

Van opzij viel een minuscuul lichtstraaltje binnen door een uitsparing in de muur die Soetaert herkende als het kijkgat van de bunker, dat uitzag op de binnenplaats. Hier moest de wacht gestaan hebben met zijn karabijn om ongenode gasten te weren en bij onraad alarm te slaan.

Toen hun ogen aan het donker gewend waren, zagen ze vaag dat ze op een tweesprong stonden. Ze konden rechtdoor, verder de gang in, of linksaf de bunker in. Ze besloten rechtdoor te gaan. Daar was de buitenmuur als geleide beschikbaar en zo konden ze hun stap in de vrije duisternis nog even uitstellen.

Vivian voelde zich slecht op haar gemak. Ze kwam vaak genoeg in kelders, van allerlei maten en soorten, maar nooit in het pikkedonker dat aanvoelde als een klamme deken. Ze rilde. De kou in de bunker sloeg op haar ademhaling. Als het aan haar lag hadden ze het ondergrondse labyrint gemeden, waar eens geschreeuw en gevloek geregeerd moesten hebben.

De gang die ze volgden maakte na een paar meter een bocht naar rechts. Zonder iets te zien hoorden ze in de verte iets druppelen. Water waarschijnlijk. Het geluid was een teken van contact met de buitenwereld. Soetaert volgde het ritme van de druppels. Was het voor gevangenen in de bunker een teken van hoop of gekmakend geweest? School er muziek in of holde het hun verzet, hoop en zelfvertrouwen druppel voor druppel uit?

Toen Beau stilstond, passeerde hij haar in het donker om de herkomst van het druppelen vast te stellen. Daarbij liet hij de hand van Vivian los. Aan het eind van de gang stuitte hij op een gemetselde achterwand die een klein vertrek afsloot. Op de grond lag een plas water. De echoput. Hij bukte zich om de sporen van het metselwerk na te voelen. Het toilet. Dit moest het toilet geweest zijn! Opgetogen meldde hij zijn bevindingen aan Beau en Vivian.

'Zo'n ding heeft natuurlijk ook een toilet want je kunt moeilijk buiten een plas doen als het bommen regent en wachtsoldaten mogen geduldig zijn ze hebben geen blaas van elastiek of kringspier van staal.'

Op zijn verbale bombardement, dat hol naklonk, merkte Beau koeltjes op dat zijn interpretatie niet waterdicht was.

'Waarom niet de keuken of het washok, als je er al van uit mag gaan dat het water op deze plek bedoeld is? Misschien drupt het gewoon door het plafond als gevolg van de regen van de afgelopen dagen.'

'Jongens, laten we teruggaan.'

Vivian voorzag een ongewenste discussie en begon terug te schuifelen door de gang. Beau en Soetaert volgden haar.

'Hé, wacht even. Ik heb mijn mobiel bij me!'

In het donker haalde Beau haar telefoon uit haar broekzak. Het display verspreidde verrassend veel licht in het donker. Vivian slaakte een zucht van opluchting. Terug in het licht, terug in het leven.

Ze kwamen weer bij het kijkgat en zagen nu dat het binnenste gedeelte van de bunker uit vier evenwijdige kamers bestond met een brede gang in het midden. Beau herinnerde zich nu dat de bunker ook een uitgang aan de achterkant had.

Vreemd dat de herinnering zich in het gangenstelsel van onze hersenen ophoudt tussen bewust en onbewust en zich in ons geheugen kan verstoppen zonder haar schuilplaats prijs te geven. Totdat een prikkel in de hersenen haar tevoorschijn roept, een geur, geluid of beeld. Opmerkelijk is ook dat zich in onze herinnering voorvallen, gesprekken en gebeurtenissen kunnen afspelen die in werkelijkheid illusies zijn, opgebouwd uit de sfeer van de herinnering. Het houdt psychiaters, rechercheurs en rechters aan het werk. Onze herinneringen – de files en records van ons doen en laten – staan niet op USB-stick. Wijzelf zijn het die onze herinneringen opslaan en heropslaan, beleven en herbeleven, aangezet door onze emoties die de bloem van onze herinnering aankleven als stuifmeel en de vrucht zetten van een gelukkig of ongelukkig leven.

Toen Soetaert terug was bij het kijkgat meende hij buiten iets te horen. Met één oog keek hij door de uitsparing in de muur. Doordat hij met zijn verkeerde oog keek zag hij niets. Geërgerd draaide hij zijn hoofd om met zijn goede oog te kijken, zijn arendsoog, dat op de laatste controle bij de oogarts een score van 120 procent haalde en ook de kleine lettertjes ontwaarde. Nu kon hij zijn ogen niet geloven. De schrik sloeg hem om het hart. Het was volstrekt onmogelijk, maar op de binnenplaats stond *de man van de dijk.* Hij zag hem van opzij maar herkende hem direct. Uit zijn gebaren met de dierenriem die hij bij zich had maakte hij op dat ook de teef, aan wie de muurijzers niet besteed waren, van de partij was. Zijn baasje moedigde het jengelende beest aan de binnenplaats op te springen. Toen hij zijn armen uitstrekte, zag Soetaert zijn jaszakken opbollen. Een wapen, flitste het door heem heen, hij is gewapend! Toen de man zijn kant opdraaide zag hij uit zijn andere jaszak de kop van een zaklamp steken. Werktuigelijk deinsde Soetaert achteruit. Hoewel de man hem onmogelijk kon zien, drukte hij zich met bonzend hart tegen de muur.

Daarop verzamelde hij zijn moed en keek opnieuw. De man zocht met een gepijnigd gezicht zijn mobiel. Toen hij opnam draaide hij zich met zijn rug naar het kijkgat om de teef in het oog te houden. Behoedzaam legde Soetaert zijn oor op het gat.

'Nee, maak je niet bezorgd. Zes kilo. Dat was toch de afspraak? Ja, oké, zo snel mogelijk. Morgenvroeg zal ik...'

Meer kon hij niet verstaan. Koortsachtig dacht hij na over de situatie. De man gebruikte de bunkers waarschijnlijk als bewaarplek voor zijn straatwaar. Ze waren op het verkeerde moment op het verkeerde adres. Beau en Vivian zou de man nog voor toevallige voorbijgangers kunnen houden, hem zou hij definitief als infiltrant beschouwen, al was hij waarschijnlijk maar een loper en reden de echte criminelen in dure auto's rond in de stad. In het wereldje van de drugs was er altijd een baas boven de baas, tot in de hoogste kringen. Maar dat deed er niet toe. Hij moest nu handelen!

Hij reageerde manhaftig. Hij wilde het weekend graag heelhuids overleven. Met een paar stappen overbrugde hij de afstand naar Vivian en Beau, die bij de ingang van de voorste bunkerkamer waren blijven staan.

'Foute boel,' siste hij, terwijl hij een hand op hun schouder legde en ze naar voren duwde, de bunkerkamer in.

'Wat?,' Vivian draaide zich half om en keek hem verschrikt aan. Aan zijn intonatie hoorde ze dat het menens was.

'Er staat buiten een crimineel, gewapend en met een hond. Drugs. Ze bewaren hier drugs.'

'Wàt?'

'Kom. Naar binnen. Licht uit.' Veel tijd om na te denken was er niet. Gebiedend duwde Soetaert Vivian en Beau de bunkerruimte in. Daar hurkten ze op zijn commando met hun rug tegen de binnenmuur die hen scheidde van de gang. Juist toen Beau wilde vragen wat dit allemaal te betekenen had, klonk het vervormde blaffen van de teef. De man kwam de bunker in.

In een oogwenk berekende Soetaert hun kansen. Nu ze voor het defensief gekozen hadden, hing hun lot aan een zijden draadje, beter gezegd aan één enkele hondenriem. Liep de teef los, dan waren hun kansen verkeken. Hield de man het beest aangelijnd, omdat er mogelijk wandelaars waren, dan hadden ze een kans.

Het blaffen van de boxer werd luider en klonk hol als het blaffen van Cerebus in de Hades. Ze hielden hun adem in. Vivian beet op haar lip. Ze had niet mee naar binnen moeten gaan en had het koud. Maar je gaat mee met de groep. De mens is volgzaam, een kuddedier. In haar achterhoofd zongen de woorden van Camus. Ze had net nog, hoog op hun veilige zandwal, de betrekkelijkheid van het aardse leven verkondigd. Maar wat is de theorie waard als het op de praktijk aankomt? Dingen die je bij een picknick zegt, herhaal je niet met de loop van een revolver op je gericht.

Het heftige blaffen kwam dichterbij maar werd niet sterker. Kennelijk had de man de boxer aangelijnd. Hij moest inmiddels de hoek omgekomen zijn en ter hoogte van het kijkgat staan.

Plotseling zagen ze op de achterwand van hun vertrek het schijnsel van een zaklamp. Het kon niet waar zijn. Dit liep alsnog verkeerd! Gelukkig hield de man het bij een vluchtige inspectie. Kennelijk had hij haast door het telefoontje van zo-even en drongen de alarmerende signalen van de teef niet tot hem door. Hij riep iets onverstaanbaars tegen het beest, gevolgd door een vloek en het janken van de hond, ingehouden gejank, waaruit de woede nog niet verdwenen was. De teef rook hun spoor en voelde hun aanwezigheid door de tussenmuur heen.

Ze hoorden de man de boxer met zich meetrekken. Beau bedacht ineens dat haar mobiel nog aanstond, maar durfde hem niet uit te zetten, bang om licht of geluid te maken. Stel dat er nu iemand zou bellen! Haar moeder, de baas van de kunstuitleen of de dame van het museum die haar nog zou bellen over een workshop. Het zou toeval zijn. Maar toeval bestaat. Dat is het vervelende.

Tot hun opluchting hoorden ze de geluiden langzaam wegsterven. Kennelijk was dit niet de plek waar de man moest zijn, maar was hij doorgelopen en had hij de bunker via de achteruitgang verlaten. Ze kwamen overeind uit hun gehurkte houding en herademden. In het donker overlegden ze wat ze moesten doen.

'Laten we zo snel mogelijk naar buiten gaan naar de fietsen.' Vivian was de eerste die sprak. 'Weg uit deze betonnen onderwereld.'

'Te gevaarlijk. Als hij mij ziet, zijn we de klos.'

'Hoezo jou ziet? Ik wil hier weg.'

'Hij kent mij.'

'Wàt? Jij kent hem? Waarvan?'

Hierop vertelde Soetaert over zijn aanvaring met de man eerder die dag. Vivian en Beau konden hun oren niet geloven.

'Zoiets vertel je toch!' Nu was het Beau die sprak.

'Dat was misschien beter geweest. De vraag is nu hoe we hier zonder kleerscheuren uitkomen. Het is niet iemand om mee te spotten.'

'Laten we tenminste teruggaan tot het kijkgat. Hier blijven is bespottelijk.'

Soetaert hoorde de nervositeit in Vivians stem. In het donker pakte hij haar hand.

Ze waagden zich stapje voor stapje, gespitst op ieder geluid terug tot het kijkgat. Daarna vlogen ze de gang door naar buiten, de binnenplaats op. Beau, die geen van haar buren op de dijk kende, klom als eerste omhoog langs de muurijzers, gevolgd door Vivian en Soetaert.

Toen ze weer op de bosgrond stonden en om zich heen keken, zagen ze de man in de verte weglopen met een witte plastic zak en de teef dansend om zich heen.

'Daar ligt ergens de parkeerplaats.'

Beau kon niet bevatten dat in de verte een van haar buren liep. Het was goed dat het niet tot een treffen gekomen was. Anders had ze moeten vrezen voor de Margriet.

'Dat zo'n vent zomaar zijn gang kan gaan!'

Haar angst sloeg om in boosheid. Het zou morgen een bijzonder schilderij worden. Ondertussen zou ze op actie. Misschien moest ze er een telefoontje aan wagen. De man zou vreemd opkijken als hij plotseling van zijn eieren werd gehaald.

Sneller dan ze gekomen waren reden ze het bos weer uit. Op weg naar huis spraken ze niet veel. Er waren wolken aan de hemel verschenen waarachter de zon schuilging. Vivian rilde, maar voelde haar zelfvertrouwen terugkeren.

Soetaert dacht aan zijn project. Hij was benieuwd naar de reactie van de rector en de programmacommissie op zijn plan voor het lustrum. De commissie zou vanmiddag bij de rector thuis vergaderen. Die zou hem vanavond bellen. Hij had er speciaal zijn mobiel voor meegenomen.

Hij keek naar de lucht in de verte. Als ze geluk hadden en doorfietsen zouden ze misschien net voor de regen thuis zijn.

7 | Et in Arcadia ego

Zonder lang na te denken had Iris de kans om Floris te ontmoeten, in Rome nog wel, met beide handen aangegrepen.
Het lonkende avontuur had haar hart sneller doen kloppen.
Ze had de noodzakelijke dingen geregeld en was al een paar
dagen eerder naar Europa gereisd.

Nu liep ze door Rome. Ze genoot van de stad. Het verleden kwam er tot leven, net als haar proefschrift: tussen de
ruïnes en vele reminiscenties aan de Romeinse tijd. Rome
was een plaats, zo voelde het al na een halve dag, waar je
de geschiedenis voorbij voelde glijden en je de tijd vergat.

Ze was vanuit New York naar Amsterdam gevlogen.
Daar had ze haar moeder bezocht, nadat ze binnen een
strak tijdschema eerst met de bus vanaf Schiphol naar haar
zus in Haarlem was geweest.

Haar proefschrift had ze eindelijk ingeleverd. Jonathan
zou haar bellen zodra hij het gelezen had. Ze was niet van
plan nog veel aan de tekst te veranderen, al was Jonathan de
centrale schakel, die de leescommissie moest inschakelen.
Ze zou blij zijn als alles achter de rug was.

Haar moeder maakte het goed. Het drama met Idema
had haar verdrietig, maar niet wanhopig gemaakt. Ze was

lid geworden van een praatgroep en actief als vrijwilligster in de kerk en in een verpleeghuis. Voor de dood van haar vader had Iris nooit zo op haar moeder gelet. Nu hij er niet meer was, zag ze pas hoe sterk haar moeder al die tijd geweest was, in Indonesië en later in Nederland. Ze had zich nooit op de voorgrond gedrongen, maar zelfstandig haar weg gezocht.

Vera leek meer op Idema. Ze was energiek, impulsief en enthousiast. Ze beheerde een kunstgalerij in de Haarlemse binnenstad en wist precies hoe ze de dingen moest organiseren. Ze schilderde ook zelf. Achter haar expositieruimte had ze een vertrek gecreëerd als atelier, waarvan de ramen uitzagen op een binnenplaats die gedomineerd werd door een oude kastanjeboom. In haar atelier kon ze zich uitleven. Ze schilderde werk na van Dalí en Picasso, maar vertrouwde ook haar eigen droombeelden toe aan het doek. Soms verkocht ze een paar schilderijen.

Tot Iris' spijt had Vera haar verteld dat haar huwelijk met Bob zich op een dood spoor bevond. Na jarenlang geduld te hebben gehad met haar kaalhoofdige perfectionist, die geen stofje op het tafelblad, smet op het aanrecht of krasje op zijn iPod verdroeg, wilde ze niet met hem door. Bob was Bob. Hij wilde het thuis net zo steriel hebben als in het Oogmedisch Centrum waar hij werkte. Iris had hem altijd gemogen. Hij kon boeiend vertellen over zijn werk, beeldend en precies, was attent en had bovendien een goed inkomen. Bob was een prima vent. Hij zou een goede vader zijn geweest.

Vera had gezegd haar fantasie te hebben ontdekt. Daarmee bedoelde ze niet haar artistieke fantasie, waarmee ze haar brood verdiende, maar haar emotionele verbeeldingskracht die diende als compensatie voor de zakelijkheid thuis. Ze was verliefd geworden op de wijnimporteur aan de overkant van de straat, Onno, met wie ze twee keer mee geweest was op wijnreis naar Zuid-Frankrijk. De laatste keer hadden zij zich daarbij, zonder dat Bob hiervan wist, als fijnproevers niet beperkt tot wat zich aan schoons op wijngebied voordeed onderweg. Uit haar reizen met Onno zou Vera vroeg of laat haar conclusies trekken. Arme Bob.

Maar ze was nu zelf op avontuur! Vera had zoveel te vertellen dat Iris er niet aan toegekomen was haar over Floris te vertellen. Ze moest hem nog kennen van een paar feestjes als de broer van Pieter, al waren er niet veel feestjes meer geweest sinds hun vertrek naar het buitenland.

Ze zocht geen toenadering tot Floris om van Pieter af te zijn. Floris was haar experiment. Ze wilde met hem voor zichzelf eindelijk de proef van lichtheid en zwaarte aangaan, de proef van eenmaal gekozen hebben of opnieuw kiezen. De prangende vraag die haar daarbij dreef was – ze had er een tintelend gevoel van spanning bij – of zij de 'andere helft' van de tweeling, Floris, niet altijd ten onrechte genegeerd had ten gunste van Pieter.

Ze drukte haar handen in haar zakken. Haar experiment was serieus. Ze was niet voor niets naar Rome gekomen. Daar zou Floris *for the time being* haar Onno zijn. Onno was trouwens een grappige naam: van voren naar achteren zijn eigen spiegelbeeld en van achteren naar voren even werkelijk, kloppend en geldig. Net als Bob. Die overeenkomst zou Vera ontgaan zijn.

Ze was erin geslaagd na aankomst in Rome een kamer te boeken in hetzelfde hotel als de dames en heren historici van het congres van Floris, vlakbij het Piazza del Popolo. Het hotel, met statige ijzeren balkons, lag aan de Via Flaminia, een van de oudste toegangswegen tot de stad.

Met plezier bracht ze de nieuwe ochtend door op haar hotelkamer die uitzag op een pleintje met cipressen, waar het verkeer omheen stroomde. Ze had geschreven aan haar nieuwe boek waarvoor ze materiaal te over had, uit de oudheid, uit haar fantasie en uit de boeken die ze gelezen had de afgelopen jaren. Gewapend met haar mobiel en een half flesje wijn, dat ze in de lobby van het hotel bemachtigd had, vloeiden de woorden op het papier. Jonathan had zich nog niet gemeld. Hij moest haar manuscript intussen gelezen hebben.

Na de lunch liep ze naar het Piazza del Popolo met zijn indrukwekkende Porta, een toegangspoort met de statuur van een triomfboog. Halverwege de poort stonden Petrus en Paulus op hun sokkel, wakend over de stad. In het centrum hadden zij zelfs een aantal keizers van hun zuil verjaagd.

Nadat ze de stadspoort bekeken had, ging ze de Santa Maria del Popolo binnen. Ze las dat Luther er tijdens zijn Romereis gelogeerd had in het aangrenzende klooster. Bij de naam van Luther moest ze aan Idema denken. Hij moest hier ook geweest zijn op zijn speurtochten naar de man uit Wittenberg. Mogelijk was Luther Rafaël tegen het lijf gelopen, die in dezelfde periode aan zijn grafmonument voor de familie Chigi in de Santa Maria del Popolo werkte.

In een straalkapel voorin de kerk kwam ze, nadat ze een muntje in een lichtautomaat geworpen had, Petrus en Paulus opnieuw tegen, nu op twee manshoge schilderijen van Caravaggio.

Ze keerde terug naar het middenschip van de kerk, ging in een van de banken zitten en keek om zich heen. Als alle mensen weg waren, de pelgrims en toeristen, de stilte in de kapellen van de Santa Maria del Popolo neerdaalde en de nachtportier zijn ronde door de kerk deed, zou *hij* dan het fluisteren van beide apostelen opvangen over de toestand in de wereld, paus Benedictus en het laatste nieuws uit Amerika?

In de buurt van de uitgang stuitte ze op een stel grijnzende marmeren doodshoofden, die haar kippenvel bezorgden. Wie te maken had gehad met de dood, werd gevoelig voor iedere verwijzing en hoefde niet herinnerd te worden aan de sterflijkheid van het bestaan. Snel liep ze de kerk uit.

Midden op het grote plein ging ze bij een van fonteinen zitten en schreef alles op wat haar te binnen viel.

Aan de zuidkant van het plein stonden nog twee kerken. Er was een tijd dat elke kardinaal in Rome zijn naam voor het nageslacht wilde vestigen. Kardinaal Gastaldus Hieronymus bedacht het plan, ter meerdere glorie van God en van zichzelf, twee identieke kerken te bouwen aan weerszijden van de centrale Via del Corso. Van dichtbij vertoonden beide gebouwen slechts een paar kleine verschillen. De klokkentoren van de oudste kerk was mannelijk en strak, die van de kerk aan de westkant eleganter en rank. Ook het interieur van de tweede kerk was, met zijn ronde lantaarnkoepel, zacht en vrouwelijk. Alsof Adam en Eva hier samen stonden.

Ze vroeg zich af waarom ze niet eerder in Rome was geweest, verbaasd over de vele verwijzingen naar de keizertijd en de alomtegenwoordigheid van de kerk. Tussen de keizer en de paus was het één grote estafetteloop geweest in de geschiedenis, al gooide Constantijn nog bijna roet in het eten. De eerste christelijke keizer was heiden genoeg om de cirkel van de geschiedenis rond te willen maken zoals Homerus en Vergilius die gedicht hadden, en verplaatste de hoofdstad naar Constantinopel, aan de oevers van de

Bosporus. Daar wilde hij een nieuw Rome stichten, dichtbij de plek van het oude Troje en de grond van stamvader Aeneas.

Ze slenterde terug naar het hotel. Hoewel een gevoel van moeheid haar bekroop, nam ze zich voor vast te houden aan haar plan. Ze wilde nog graag naar de catacomben. Daarna zou ze eten in het hotel en een keer op tijd naar bed gaan.

's Nachts was het rumoerig met voetbalsupporters op straat en zweefde haar hoofd van de wijn die ze na het eten nog gedronken had. Pas na middennacht viel ze in slaap.

De volgende ochtend voelde ze zich slecht op haar gemak. Het bevreemdde haar dat er in het hotel niets te merken was van de komende invasie aan congresgangers.

Ze maakte zich klaar om de stad in te gaan. Gewapend met een plattegrond, waarop ze de Il Gesù had aangekruist die ze in de middag wilde bezoeken, ging ze op pad. Een half uur later arriveerde ze bij het Capitool. Van dichtbij bekeek ze de gespiegelde gebouwen van het Palazzo dei Conservatori en Palazzo Nuovo. De identieke gevels waren het werk van Michelangelo, die ook de bestrating op het plein ontworpen had. In het midden stond het standbeeld van Marcus Aurelius, keizer en filosoof. Bij haar bezoek aan het Museum van het Capitool stuitte ze op het originele ruiterstandbeeld, dat deels nog verguld was. Volgens de legende zou de jongste dag aanbreken als al het goud ervan verdwenen was.

Halverwege de middag liep ze naar de kerk van Ignatius. Bij aankomst verbaasde ze zich over de afmetingen van de brede grijze halsgevel. Binnen viel haar oog op het geschilderde plafond vol duizelingwekkende luchttaferelen, die met een verrijdbaar spiegelkarretje nader te bekijken waren. In de spiegel waren de plafondschilderijen vol trompel'oeils en geschilderde perspectieven verbazend echt.

In het transept rechts van het hoogaltaar stuitte ze het praalgraf van de jezuïtische missionaris Franciscus Xaverius. Het was uitgevoerd in rood marmer met bladgoud en reikte tot aan het gewelf. Aan de overkant bevond zich het praalgraf van Ignatius, bekleed met lapis lazuli en bladgoud. Over haar schouder keek ze nog een keer om naar zijn overbuurman. Had ze goed gezien dat de monstrans van Xaverius' grafaltaar zijn geconserveerde rechterarm toonde 'waarmee hij zoveel heidenen gedoopt had'? Ze rilde. In Rome hoefde je nergens van op te kijken.

Het lukte haar niet Ignatius te vinden, dat wil zeggen zijn zilveren officiersbeeld waarover ze gelezen had. Ze had verwacht het bij zijn graf te zullen aantreffen. De resten van de heilige Ignatius rustten in een schrijn die veel weg had van een gouden bootje. Misschien was de schrijn niet klein, maar leek dit alleen zo door de afmetingen van het praalgraf. Maar waar was het standbeeld van de ordegeneraal?

Ze meende al dat het in restauratie was toen een dame met grijze krullen, gehuld in een lange bordeauxrode jas, haar aanklampte met een geplastificeerd artikel uit de New York Times. Het ging over het graf van Ignatius. Daar was iets mee. Iets spectaculairs. De dame bezwoer haar in gebroken Engels aan het eind van de middag de lichtshow bij te wonen over Ignatius. Iris besloot te blijven. Ze was er nu toch, in gedachtenis aan Idema. Wie weet ging de hemel straks daadwerkelijk open, zoals de plafondschilderingen beloofden.

Aan het eind van de middag verzamelden zich rond het altaar van Ignatius zestig belangstellenden in een brede halve cirkel. De show begon. Uit onzichtbare luidsprekers klonk eerst een krachtig Kyrie eleison, sonoor in het Latijn gezongen door geoefende mannenstemmen. Daarna nam een zalvende Italiaanse stem bezit van de ruimte en werden verschillende details van het grafmonument verlicht. Iris verstond weinig van wat er gezegd werd. Ze ving een fragment op met de woorden *capitulare in Christo*. Onder de klanken van het Miserere dacht ze: het blijven missionarissen, die jezuïeten. Ze proberen ook onder toeristen hun duiven te schieten.

De show bereikte zijn hoogtepunt. Tot ieders verbazing zakte aan het einde van de voorstelling langzaam het middenpaneel van het altaar naar beneden, als de rouwkist bij een begrafenis. En daar kwam hij tevoorschijn, Ignatius, als een duveltje uit een doosje. In de holle ruimte van zijn eigen praalgraf dook hij op, verlicht door alle aanwezige spots en omhangen met zilver en edelmetaal, een Spaanse vorst van allure. Hij predikte soberheid en de navolging van Christus, maar toonde zich hier het stralende middenpunt van het Gloria in excelsis Deo dat ten slotte door de kerk schalde.

Iris voelde medelijden met Franciscus Xaverius, die door de aandacht voor Ignatius de rug werd toegekeerd. Zijn *real life* dooparm zou met enig mechanisch vernuft ook voor het nodige spektakel kunnen zorgen.

Idema zou smakelijk gelachen hebben om zoveel kitsch, net als om de pastoor in het belendende biechthokje, die zichtbaar met zijn iPod zat te spelen om daarna het bandje over Ignatius op te zetten.

Ze had het plotseling benauwd, snelde naar buiten en liep via het Piazza Venezia naar het Nationaal Monument, een architectonisch wangedrocht, maar fabelachtig hoog en groot. Op het monument lag de stad aan haar voeten en waaide de wind in haar gezicht. Dat kalmeerde haar. Religie is een vreemd verschijnsel, dacht ze, cultuurscheppend, maar ook infantiliserend. Was de taak van religie niet de geheimen van mens en wereld open te laten en de dialoog met de moderne tijd aan te gaan? Ze was bedroefd dat ze hierover niet meer met Idema kon discussiëren. Nog altijd miste ze hem.

Terug in het hotel was de stilte oorverdovend. Ze kon zich niet voorstellen dat het morgen op dezelfde plek zou krioelen van congresgangers, dat er gesleept zou worden met tassen en koffers in de liften en op de gangen en in de lounge geroezemoes in allerlei talen zou opklinken waarin historische kennis gedeeld werd, inzichten, visies, meningen en argumenten die lang opgesloten hadden gezeten in geleerde koppen en benauwde universiteitskamertjes.

Van een avond schrijven was ze niet wijzer geworden dit keer. Ze kon moeilijk in slaap komen. Van alle plagen die de mensheid kwellen is slapeloosheid wel de ergste. Hoe kwam het dat ze 's nachts beter kon nadenken en vervolgens wakker lag van haar eigen helderheid? Het was goed voor een mens heel het apparaat van overdag 's nachts een poosje in de nulstand te zetten, zodat het niet oververhit raakte. Die stand leken haar hersenen niet te kennen.

Ze had met zichzelf afgesproken na het eten niet meer te drinken, maar herinnerde zich deze afspraak pas nu ze tollend in bed lag.

Uscita: uitgang. Het stond groenverlicht boven alle nooddeuren in het hotel. Waar bevond zich de uitgang? Voor de zekerheid had ze twee slaappillen op haar nachtkastje gelegd, hoewel die eigenlijk niet samengingen met de alcohol.

'Je moet slapen.' Hoe vaak had haar moeder dit niet gezegd als ze het weer eens laat gemaakt had en Corry nog licht zag branden op de kamer van haar oudste dochter? Haar moeder had gelijk. Ze moest slapen! Hopelijk lukte het nu.

Uscita, uscita, uscita...

Vader. Vader? Hij had de uitgang niet meer gevonden en was verdronken in zijn slaap. Hoe was zijn laatste moment? Stop nu met piekeren! Voel hoe de slaap en de pillen je meenemen. Denk aan iets moois. Aan Floris. Floris Didymus. Morgen komt hij!

Mama? Ga maar lekker slapen, je moet slapen, lieverd. Mama? Waar ben je, mijn kind? Ga maar slapen. Mama komt zo. Ssst.

De volgende ochtend brandden haar zenuwen van opwinding. Vandaag zou Floris arriveren. Eindelijk! Ze zag ernaar uit, na al haar gepieker. Eindelijk zouden ze met z'n tweeën zijn. Ze verlangde naar zijn aanwezigheid. Samen zouden ze er iets bijzonders van maken.

Bij het ontbijt las ze de plaatselijke krant. Er stond van alles in over Rome, maar niets over de conferentie. Het voedde haar onrust. Nerveus wreef ze in haar nek.

Daarna trok ze de stoute schoenen aan en liep naar de receptie. Daar informeerde ze naar de hotelboekingen. Er waren drie Nederlanders in het hotel. Meer wilde het personeel niet zeggen. Ze deden geen mededelingen over de gastenlijst. Toen ze aandrong, negeerden ze haar. Maar zo snel gaf ze zich niet gewonnen. Hoezo geen Floris op de lijst? Er waren toch geen twee hotels in Rome met de naam Flaminia? Dat wilde de receptie nog bevestigen, verder sloeg het personeel geen acht op haar stemverheffing.

Kwaad liep ze naar de lounge en zakte onderuit in een van de leren fauteuils. Plotseling overmande de twijfel haar. Floris zou toch wel komen? Voor hem was ze naar Rome gekomen! Misschien was er een misverstand in het spel, of had hij op het laatste moment last gekregen van zijn vliegangst.

Toen hij er om elf uur nog niet was en de ongerustheid haar verlamde, besloot ze naar het vliegveld te gaan om persoonlijk polshoogte te nemen. Ze had gezien dat er vanuit de stad ieder uur een shuttle ging.

De rijen met ijzeren wachtstoelen, zieltogende plantenbakken, afgesleten vloeren en vieze prullenbakken op het vliegveld van Rome ademden een sfeer van Zuid-Europese achterstalligheid en nonchalance. Even had ze in hal gezeten om uit te rusten, daarna liep ze tussen de krioelende passagiers door naar een monitor met vluchtgegevens. Bij de Arrivals kon ze geen onregelmatigheid ontdekken. De twee ochtendvluchten vanuit Amsterdam waren normaal geland. Ze volgde daarom de bordjes met Retiro Bagagli. Maar ook achter de glaswand bij de geschubde bagagebanden wachtte ze vergeefs. Er viel geen spoor van Floris te ontdekken.

Haar onrust groeide. Alleen het geluid van de vliegtuigenmotoren kalmeerde haar. Het herinnerde aan de reddingsboei van haar vaste dinsdag in de week.

Van de bagageafdeling liep ze terug naar de wachtruimte. Onderweg zwaaide ze met een danspasje naar de camera's aan het plafond. Een zinloos gebaar, maar toch een moment van protest tegen het alziende oog. In Indonesië had ze als kind al een hekel gehad aan het Alziende oog op een poster achterin het catechisatielokaal. Het keek sloom en wezenloos door een driehoek of je niets verkeerds deed en van de goede weg afraakte. Op een onbewaakt moment was ze, tot ontsteltenis van Idema, met een paar Indonesische kwajongens het catechisatielokaal binnengeslopen voor een dartswedstrijd met een stel stokoude pijltjes. Daarbij hadden ze het Oog, dat hen machteloos vanaf het prikbord aanstaarde, als mikpunt gekozen.

Ze schrok toen haar mobiel afging. Op het display zag ze dat het Jonathan was. Net nu! Hij had geen slechter moment kunnen uitkiezen. Eigenlijk was ze niet in staat een gesprek te voeren. Ze aarzelde, maar nam toch op. Op het laatste moment won haar nieuwsgierigheid het.

Het bereik in de hal was slecht. Ze kon nauwelijks verstaan wat hij zei. Maar in het labyrint van een internationaal vliegveld kon ze niet even naar buiten lopen. De ruis op de lijn was symbolisch voor de misverstanden tussen Jonathan en haar. Naarmate zijn bericht uitbleef, was ze steeds minder van zijn beoordeling gaan verwachten.

'Je hebt enorm je best gedaan, Iris. Dat prijs ik in je, je werkhouding en discipline. In een paar jaar tijd heb je een heleboel voor elkaar gekregen. Alleen vrees ik dat je manuscript in de huidige vorm nog net niet rijp genoeg is om aan de leescommissie voor te leggen.'

Zijn mededeling kwam niet als een verrassing, maar ontstemde haar daardoor niet minder. Hoe durfde hij na vier jaar nog te spreken over haar tekst 'in de huidige vorm'? Ze zocht naar woorden om haar teleurstelling te uiten.

'Zoals ik je gezegd heb, Jonathan, vrees ik dat je met mijn manuscript mijn definitieve tekst in handen hebt.'

'Ik begrijp dat je dat zegt, maar denk dat dat met het oog op de commissie niet haalbaar is. Er staan nog te veel onwetenschappelijke sofismen in je tekst.'

Ze kon zijn pruilmondje bijna horen door het gekraak van haar cell phone heen. Sofismen! Jonathan was een angsthaas. Hij vreesde het oordeel van de commissie. Ze was beledigd dat hij nog meer tekst wilde schrappen. Jonathan knielde voor de wetenschap en stond geen intuïtieve oordelen toe. Ze was er jarenlang tegen aangelopen als tegen een muur, terwijl hij in werkelijkheid door heel andere doelen gedreven werd: door zijn ambitie om staatshoogleraar te worden. Wat zijn studenten leverden moest bruikbaar zijn voor dat doel.

'Je bedoelt dat je behalve het feitelijke tekstmateriaal mijn eigen inzichten, die niet uit de lucht komen vallen na vier jaar onderzoek, wilt schrappen om risico's uit te sluiten en 'fouten' te vermijden?'

'Zoiets ja.'

Ze meende iets van onzekerheid in zijn stem te horen. Misschien kon ze terrein terugwinnen.

'Waarom is bij jou de geest toch altijd ondergeschikt aan de letter? Daar hebben we het vaak over gehad. Wetenschap houdt volgens mij per definitie risico in. Onze oordelen zijn altijd *onze* oordelen. Een neutrale benadering is er niet. In dat opzicht vind ik jouw opvattingen premodern. Alsof vragen over waarheid en methode je niets zeggen.'

Het was waar. Jonathan klampte zich vast aan zijn eigen methodiek, waarvan zij het lijdend voorwerp dreigde te worden. Dat het zover moest komen! Volgens haar kon hij het niet hebben dat een vrouw net zo slim was als hij.

'Laten we het daar een andere keer over hebben, Iris, als je weer thuis bent. Ik zal in de tussentijd over je standpunt nadenken.'

Toen de verbinding verbroken was, reageerde ze haar ongenoegen af. Jonathan kon barsten! Hij moest leren een andere visie naast de zijne te accepteren! Ze hield pas haar mond toen ze de geamuseerde Italiaanse gezichten om zich heen zag. Daarop stond te lezen dat ze uitstekend Engels verstonden.

Ze volgde de borden naar de uitgang. Toen ze buiten was probeerde ze na te denken. Misschien was ze Floris toch gewoon misgelopen en wachtte hij op haar in het hotel. Er zat niets anders op dan terug te gaan. Als ze hem daar niet zou treffen, zat er niets anders op dan haar spullen te pakken en te vertrekken.

Floris was niet gekomen, tot haar bittere teleurstelling. Zou hij haar voorgelogen hebben? Een grap hebben willen uithalen? Het was ondenkbaar. Ze had zich er in het rijk der mogelijkheden veel van voorgesteld om een paar dagen met hem in Rome door te brengen. De werkelijkheid was anders. Ze moest onder ogen zien dat haar experiment mislukt was. De baan waarin Floris zich bewoog had zich niet gekruist met de hare. Daardoor restte haar niets anders dan de loodzware lichtheid van haar bestaan op zich te nemen en terug te keren naar New York.

Ze vatte het plan op, nu ze toch in Europa was, via Avignon te reizen. De plotselinge ingeving wond haar op. Ze was de naam van de stad meteen al bij de eerste letter tegengekomen in een gids met Europese vliegbestemmingen. Avignon. Ze was er vaak genoeg geweest, in de zomer, met Vera, Idema en Corry! Jarenlang hadden ze tijdens de grote vakantie door de oude binnenstad gelopen en de festiviteiten en theatervoorstellingen op straat meebeleefd.

Ze pakte haar spullen en vertrok, zonder verder achterom te kijken. Op het vliegveld zou ze proberen een *last minute* te boeken naar Nice of Marseille en vandaar verder reizen naar Avignon. Misschien lukte dit. Ze wilde zo snel mogelijk weg uit Rome.

Feitelijk reisde ze de pausen achterna die in de 14e eeuw Rome ontvluchtten en zeventig jaar lang in Avignon in ballingschap verbleven. Was Avignon niet ook *de* plek voor haar ballingschap en eenzaamheid van de afgelopen jaren? Ze had het gevoel dat er in Avignon iets op haar wachtte. Een verklaring misschien wel van het surrealistische schilderij dat haar leven geworden was, nu in Rome een droom in duigen was gevallen.

8 | Amor vitae

'Magritte is een schilder van de avant garde. Schilderen is voor hem niet langer illustreren of reproduceren. Hij wil de irrationele kant van de werkelijkheid belichten, het conflict tussen waarheid en illusie.'

Beau, Vivian en Soetaert waren de regen niet voorgebleven en door een stortbui doornat geregend. Om beurten hadden ze gedoucht in de primitieve douchecel van de Margriet, waarvan de wanden poreus geworden waren. Doorweekt hadden ze, in een uitgelaten bui, elkaar de natte kleren van het lijf helpen trekken. Het had geholpen de bedrukte stemming na het avontuur in de bunker te verjagen.

Aan het begin van de avond hadden ze paella gegeten. Daarna hadden ze besloten vanwege de regen hun avondwandeling door de oude uiterwaard te schrappen. De opengevallen ruimte werd opgevuld door het verhaal van Beau.

Vivian, die naast haar op de bank zat, vroeg haar naar de functie van de rede bij Magritte. Dromen, illusies en fantasieën hadden hun waarde, ze moesten niet overheersend worden.

'Magritte heeft een haat-liefdeverhouding met de rede. Hij schildert vanuit een vooropgezet filosofisch idee, maar kent tegelijk hoge waarde toe aan het toeval. De toevallige associatie drukt voor hem de ongerijmdheid van het bestaan uit.

'Die hij aanvaardt?'

'Sterker, hij zoekt haar op. Met vreemde en onlogische voorstellingen zet hij de kijker aan het nadenken, net als met zijn afwijkende titels. Hij schildert een serie brandende tuba's, een verdwaalde jockey op het dak van een auto of in een bos met reusachtige balusters. De pikeur is levensecht, maar toch de weg kwijt in een absurd en tijdloos landschap. Dat is typisch Magritte.'

'Ik herinner me anders foto's waarop hijzelf gewoon deelneemt aan de mode en het uitgaansleven in Brussel.'

Deze interventie kwam van Soetaert.

'Dat Magritte zich kleedt in driedelig pak, met bolhoed en paraplu, is een onderdeel van zijn parodie. Als progressief schilder kleedt hij zich zoals de bourgeois. Hij speelt een dubbelspel, net als met zijn kunst. Op zijn schilderijen is de man met de bolhoed de anonieme man van de straat, die we meestal op de rug zien of in de spiegel, als toonbeeld van zijn metafysische eenzaamheid.'

'Toe maar, alsof het fijn is eenzaam te zijn.'

Met deze opmerking bracht Soetaert schade toe aan de sfeer van het gesprek. Zijn woorden pasten niet bij het verhaal van Beau. Onbedoeld prikte hij de ballon van haar artistieke meditatie lek. Beau reageerde met een ruk aan haar revers.

'Wie had het hier vanmorgen over de waarheid boven tafel krijgen? De surrealisten vragen erkenning voor de banaliteit van het bestaan, voor het irrationele en scabreuze, voor de schijn van een doortrapte wereld. De Fantômas met zijn oogmasker is favoriet: de misdadiger uit de detective en stomme film, voor wie misdaad een sport is en op wie het gezag geen grip heeft. Overal duikt hij op in de straten van Parijs, als non-conformist die het systeem herinnert aan de instincten die het onderdrukt.'

'De stomme film is lang geleden.'

'En dat zeg jij als historicus? Volgens mij ben jij er niet helemaal bij. De surrealisten banen de weg!'

Beau had gelijk. Soetaert was er inderdaad niet bij met zijn gedachten. Hij wachtte op het telefoontje van de rector, waar veel van afhing, maanden van voorbereiding. Het was dat Vivian hem gevraagd had mee te gaan, anders was hij vanmiddag bij de commissievergadering geweest.

Zonder dat hij erop bedacht was, ging Beau ineens over tot de aanval, met een ongevraagde kritiek op 'zijn' onderwerp.

'Jij houdt toch zo van idem – aliter? Wel Floris, luister goed. Magrittes basisidee is dat het reële object iets anders is dan zijn geschilderde afbeelding. A is geen b, gelijkenis geen representatie. Het lijkt op wat Wittgenstein zegt, ongeveer in dezelfde tijd: op het woord 'stoel' kun je niet zitten en het woord 'hond' bijt niet. De dingen hebben geen absolute betekenis. Betekenissen zijn afgesproken, gecodeerde systemen, waarvan de taal er een is. Magritte wil laten zien dat de werkelijkheid voor meer dan één uitleg vatbaar is en weet dat het canvas plat is. Daarom schildert hij onechte deuren en ramen, om het bedrog uit te laten komen. Hij weet ook dat een geschilderde sigaar onecht is en je een pijp op doek niet kunt roken. De schilderkunst is volgens hem, ondanks zijn traditionele prestige, nooit een venster op de werkelijkheid geweest. Met dat denkbeeld speelt hij met behulp van vernuftige trompe-l'oeils die *een omkering van de realistische illusie* bewerkstelligen, begrijp

je? Magritte knipt de lijn van de gelijkenis door, de navel-
streng waarmee de schilderkunst aan de realiteit vastzat.
Bij hem is het afgelopen met elk simpel idem – aliter. De
relatie tussen afbeelding en werkelijkheid is willekeurig en
meerduidig. Hij beseft dat representatie een complex gebeuren is dat zich niet in simpele realistische zinnetjes laat
afdoen.'

Deze handschoen moest Soetaert wel opnemen.

'Zo vernieuwend is Magritte anders niet vergeleken met
tijdgenoten als Picasso, Marcel Duchamp of Andy Warhol.
Hij schildert veertig jaar lang volgens hetzelfde stramien,
duizend variaties op basis van één idee. Nieuwe technieken, stilistische innovaties, baanbrekende experimenten: je
zult ze vergeefs bij hem zoeken. In artistiek opzicht is hij
klassiek, als criticus van het realisme een kind van zijn tijd.'

Beau popelde om hem van repliek te dienen. Ze was
woedend. Hij zag de vlekken in haar nek. Zo had hij het
niet bedoeld. Was hij werkelijk zo onhandig?

Op dat moment rinkelde zijn mobiel die hij voor de gelegenheid op de stoel naast zijn bed had gelegd.

'Sorry, ik moet… ik kom zo… straks zal ik… het is be-
langrijk… ze bellen van school.'

Onder het uitstoten van halve zinnen stond hij op en
haastte zich naar de slaapkamer. Hij acteerde nu werkelijk
onhandig. De geamuseerde blik die Vivian hem toewierp,
ontging hem niet. Was zij met hem van mening dat de ver-
ontwaardiging van Beau met een korreltje zout te nemen
viel?

'Ja, met mij.' Hij sprak al voordat hij met zijn bijziende ogen
het juiste knopje gevonden had op het display van zijn mobiel. Toen hij krachtig op het groene hoorntje aan de zij-

kant drukte, glipte het apparaat uit zijn handen als een stuk zeep, om onder het bed op de harige vloertegels te blijven liggen.

'Hallo? Hallo-ho!' De rector meldde zich met zijn bekende jovialiteit waarvan Soetaert wist dat deze schijn was. In werkelijkheid was hij berekenend. Als mislukt classicus had hij het alleen met zijn grote mond tot schoolleider geschopt.

'Ja met mij, hallo.' Gehurkt beantwoordde Soetaert de stem op de vloer, waarbij hij in de richting van zijn mobiel sprak. Onderwijl griste hij op zijn knieën het apparaat onder het bed vandaan.

'Zo te horen moest je je haasten om je mobiel op te nemen. Weet je, die dingen zijn zo gemaakt dat je ze in je zak kunt steken. Hoef je je niet te haasten. Haha.'

Die truttige humor van hem, waarom iedereen mee moest lachen. Wat een betweter was hij! Soetaert moest zich inhouden om niet iets als 'sodemieter op met je grappen' door de telefoon te roepen. Mensen die denken dat ze leuk zijn, zijn vaak moeilijk van het tegendeel te overtuigen.

'Dank je voor de tip. Hoe was de vergadering vanmiddag met de commissie?' Hij bleef beleefd en wilde zo snel mogelijk ter zake komen. Met iemand als Van Santen moest je het kort houden. Maar de rector was nog niet klaar. De gezagsverhoudingen waren nog onvoldoende neergezet in het gesprek.

'Tja, de commissie? Voor jou een vraag, voor mij een weet. Haha.' De rector was zich bewust van zijn voorsprong in kennis en nam de tijd deze troefkaart uit te spelen. Soetaert hoorde het aan de manier waarop hij sprak. Hij had nooit met de rector in zee moeten gaan, noch met zijn vergeelde proefschrift. Sindsdien had zijn academische ontwikkeling stilgestaan. Van Santen had zich op zijn machtspositie gestort.

'Het is een evenwichtige commissie. Gemotiveerd ook. En, hoe zal ik het zeggen, doelgericht. Ze willen vlees of vis, weet je. Ze laten zich niets op de mouw spelden. Nee, leuke mensen, absoluut. Boeiende commissie, die programma-commissie. Een kritische commissie ook.'

Met zijn laatste opmerking ging de rector over tot de aanval en lanceerde hij zijn torpedo. Ongewild voelde Soetaert zich onzeker worden, maar verzamelde snel zijn moed. Hij had een paar maanden werk verzet en was per slot van rekening zelf gepromoveerd.

'Hoezo kritisch?' Hij ging serieus op de opmerking van Van Santen in en liep met open ogen in de val. Hoe kon hij zo stom zijn? Hij had niet moeten toehappen maar iets neutraals moeten zeggen als: 'dat horen commissies te zijn' of 'dat is een goede zaak.' Nu voelde de rector dat hij beet had en kon hij, als bij een gewonnen schaakspel, vrij in de vijandelijke linies huishouden.

'De commissie was verrast door de hoeveelheid materiaal die je verzameld hebt voor het symposium.'

'Maar...'

Soetaert vulde zijn woorden aan. Het was opnieuw ontactisch, maar hij was het gewauwel en de langdradigheid van de rector zat. Wat een woorden had die man nodig! Hij was iemand die de tijd nam al zijn nutteloze binnenpretjes breed uit te meten.

'Ah: máár. Je zegt het zelf al, Floris. Om een lang verhaal kort te maken en je het volledige verslag van de vergadering te besparen – dat je in de notulen kunt nalezen – : de commissie is van mening dat kwantiteit niet het enige criterium is.'

'Want...' Nog altijd kwam de rector niet ter zake.

'Nu ja, de rest kun je zelf wel invullen, denk ik.'

'Het gaat ook om kwaliteit.' Hij liep nu blind aan de leiband van de rector. In zijn verbeelding zag hij de glibberende tentakels van een inktvis voor zich, waarmee Van Santen hem door de telefoon naar zich toetrok en langzaam verstikte.

'Het gaat ook om kwaliteit, precies, Floris. De commissie vond je voorstellen interessant, maar wijdlopig. Erg wijdlopig mag ik wel zeggen en daardoor onsamenhangend. Uiteindelijk hebben de commissieleden, na ampel beraad en een ieder gehoord hebbende, gekozen voor een ander plan.'

'Een ander plan?' Soetaert plofte van verbazing achterover op bed, onder de grote papieren bollamp aan het plafond. Er schoot van alles door hem heen. Welk plan? Wie had gezegd dat er nog een plan was? Hij had zich al die tijd vereerd gevoeld met het idee dat de rector hem exclusief de opdracht had gegeven iets moois te bedenken voor het lustrum. Die ijdelheid bleek nu vergeefs.

Terwijl Van Santen doorpraatte, strekte Soetaert zich uit. Hij zag dat de lamp boven het bed met het spinrag dat eraan kleefde op een reusachtige kwal leek.

'Hallo, ben je daar nog?'

'Ja.' Zijn stem klonk mat.

'Mooi. Waar was ik gebleven? O ja, de commissie. De commissie heeft, zoals ik al zei, na alle argumenten zorgvuldig te hebben afgewogen, uiteindelijk voor het alternatief gekozen.'

'Welk alternatief?'

'O, had ik je dat nog niet verteld? Sorry, dat moet een misverstand zijn.' Het slijm dat van de temende woorden van Van Santen afdroop kroop via de telefoon zijn oorschelp binnen. 'Ik had je dat natuurlijk moeten melden. Sorry, duizendmaal excuses. Toen je mij gisteren je stukken gaf, heb ik je werk vooruitlopend op de commissievergadering grondig doorgenomen en de bruikbare ideeën die erbij zaten in een wat andere richting gebogen. Ik heb er precies een dag op gezeten en toen lag daar plan B.'

'Plan B?'

Soetaert raakte weg van de stem van de rector. Het moest komen door het slijm dat nu zonder ophouden op zijn kussen en onderlaken droop. Hij wist dat de rector streken uithaalde, deze schofterigheid had hij niet voor mogelijk gehouden. Profiterend van zijn afwezigheid had Van Santen zijn eigen plan opgesteld en er doorheen gedrukt in de commissie.

'We kunnen zeker een paar van jouw ideeën gebruiken, Floris. Het motto van het symposium zal echter geen 'idem aliter' worden, maar slechts uit één woord bestaan. Kort en krachtig. Haha. En nu ben je zeker wel benieuwd welk woord dat is?'

Het slijm liep over Soetaerts gezicht, zijn mond in, zijn neusgaten en vulde zijn slaapzak. De inktvis stortte zich met zijn volle gewicht bovenop hem. Hij voelde braakneigingen, maar kreunde nog net hoorbaar:

'Reuzebenieuwd.'

'Mooi zo. Ik wist dat ik op je kon rekenen. Het thema is geworden "Metamorfose." Jij bracht ons een eind in de goede richting, dit wordt het. Met Ovidius in de hoofdrol. Goed passend bij een gymnasium, nietwaar?'

Soetaert kon zijn oren niet geloven. Ovidius! Hoe haalde de rector het in zijn hoofd om zijn proefschrift van vijftien jaar geleden van stal te halen? Het was een provocatie van de eerste orde, een oorlogsverklaring. In zijn boek had de rector niets meer durven beweren dan dat Ovidius de synthese vormde van homerische en hellenistische tradities. In zijn Metamorfosen had de dichter beide als een spons in zich opgezogen.

Het waren formele beweringen, die niets zeiden over de inhoud en het vitale traditiebegrip bij Ovidius. Zijn poëzie bestond niet in het toepassen van techniek. Bij Ovidius was een levendig, eigenzinnig en humorvol *refero idem aliter* te vinden.

Hij had de rector deze kritiek voor de voeten geworpen toen zij bij hem thuis een avond over zijn boek hadden gesproken. Toen hij net op het gymnasium werkte, had hij het boek dat Van Santen hem van onderuit zijn bureaula had gegeven beleefd in ontvangst genomen, maar met stijgende ergernis gelezen. Kennelijk had de rector hem zijn kritiek nooit vergeven en was dit de wraakactie die in zijn olifantsgeheugen was opgekomen.

Ronduit misselijk maakte hem Van Santens suggestie een aantal van hun ideeën te combineren. Hij voelde er niets voor in het bijprogramma te acteren nu de rector het hoofdprogramma voor zich opgeëist had.

Er zat niets anders op dan de leden van de programmacommissie ervan te overtuigen dat hij vals gespeeld had en de vergadering over moest. Tegelijk voelde hij zich machteloos. De rector had zijn slag geslagen en zou zijn buit niet meer prijsgeven.

'Die Schulleiter hat den Entwurf abgeurteilt!' Dat was het enige wat in hem opkwam. In de verte hoorde hij de stem van de octopus wegsterven in sonoor gelach dat klonk alsof hij zich diep onder water bevond. Het slijm vulde nu de hele kamer. Hij dreef erin en raakte steeds verder weg, totdat hij adem tekort kwam en overeind schoot. Zittend op de rand van zijn bed drong de werkelijkheid maar langzaam tot hem door.

❧

Vivian had met Soetaert te doen gehad toen hij de vorige avond na het gesprek met de rector de kamer was binnengestrompeld. Ze had geprobeerd hem weer bij zinnen te brengen. De wijn deed de rest.

Nu zocht ze opnieuw zijn gezelschap. Soetaert was vroeg opgestaan om zijn laatste voordracht voor te bereiden. Hij zat te werken aan de keukentafel. Ze was benieuwd. Toen ze vroeg of hij goed geslapen had, antwoordde hij dat hij gedroomd had over monsters die hem de weg versperden, maar ook over bosnimfen die hem door een sierlijke tuin leidden vol witte en gele trompetbloemen en felgekleurde paradijsvogels.

Zwijgend ging ze naast hem aan tafel zitten. Ze dacht aan Julius en haar verplichtingen van de komende week. Vanmiddag zouden ze terugkeren naar de stad.

Soetaerts voordracht moest iets van het oorspronkelijke plan van hun 'buitenconferentie' redden. Vooral Beau had erop aangedrongen nog een ochtend te discussiëren. Ze was in tegenstelling tot Vivian in het geheel niet begaan geweest met Soetaert na de hak die de rector hem gezet had en vond het thema van Van Santen scherp en goed. Metamorfose. Dat paste bij het schoolleven, de leerlingen en de reünie. De leerlingen maakten een gedaanteverwisseling door vanaf het moment dat ze binnenkwamen totdat ze als jongvolwassenen weer uitvlogen. Ook daarna ging het proces van verandering door. Daarover zouden de gesprekken gaan tijdens de reünie. Het zou gonzen van de uitwisseling over wat het leven een ieder gebracht had. Het thema van de rector was een prima affiche. Ze wilde er desnoods wel wat illustratiemateriaal voor ontwerpen.

Soetaert rechtte zijn rug aan de keukentafel. Het was geen gemakkelijke kost die hij uitgezocht had en hij zou in Beau en Vivian twee kritische hoorders hebben. Zelf had hij op college geboeid geluisterd naar het verhaal over Luther en zijn uitbraak uit het klooster, die een revolutie ontketende in heel Europa. Luther maakte het ideaal van Jezus' navolging los van het verzamelen van punten voor de hemel. Zijn breuk met de traditie werd bezegeld door zijn huwelijk met de ex-non Catharina van Bora.

Hij was zo geconcentreerd aan het werk dat hij opschrok toen Vivian, die van tafel was opgestaan, in het voorbijgaan haar handen op zijn schouders legde.

'Sorry. Ik wil je niet van je werk houden.' Zacht duwde ze hem terug in zijn stoel. Daarna nam ze tegenover hem plaats aan tafel. 'Waar ben je mee bezig?'

'Ik dacht na over de consequenties van een huwelijk.'

'Huwelijk?' Het ontging hem niet dat Vivian bij deze vraag geamuseerd haar wenkbrauwen optrok.

'Vertel, welk huwelijk?' Bij deze woorden stak ze haar handen uit en pakte die van Soetaert. Hij onderging de sensatie van haar warme huid. Vivian – Catharina?

'Nou, vertel.'

'Het gaat over Luther.'

'Luther? Jij dacht: dat is wel toepasselijk op zondagochtend. Of is het een onderdeel van je project?'

Aangemoedigd door haar vragen gaf hij een korte samenvatting. Daarbij maakte hij zijn handen vrij. Als geboren docent kon hij niet spreken zonder te gebaren. Toen hij uitgesproken was keek hij Vivian aan in de hoop dat hij haar onderweg niet was kwijtgeraakt.

'Het is boeiende stof, als ik je zo hoor. Een monnik die trouwt met een non. Ik kan me voorstellen dat het een schokeffect gaf. Bij een wijnproeverij maak je soms een smaaksensatie mee, iets wat je nooit eerder geproefd hebt. Daar lijkt het misschien op. Maar zullen we niet eerst iets aan het ontbijt doen?' Bij deze woorden stond ze op van tafel. 'Er moeten nog sinaasappels liggen. Misschien kunnen we ook een ei bakken, thee zetten en de tafel vast dekken.'

Tegen zoveel praktisch besef kon hij niet op.

Later die ochtend hield hij zijn verhaal, enthousiast als altijd. Van de domper van de vorige avond was niet veel meer te merken.

'Wat bedoelt Luther als hij het klooster een "rovershol" noemt en zelfs een "bordeel"? Het heeft te maken met zijn revolutionaire inzicht dat de goddelijke genade, wil zij genade zijn, geen aanvulling nodig heeft en de christelijke vrijheid niet onder druk mag worden gezet door een leer van verdiensten, die in zijn tijd karma-achtige proporties had aangenomen.

Luther vindt ook dat men een vrijwillige kloostergelofte weer vrijwillig moet kunnen neerleggen, zonder hel en verdoemenis te hoeven vrezen. Hij zet ook vraagtekens bij het ideaal van bezitsloosheid. Om zich heen ziet hij de praktijk van een grote schare bedelmonniken en van boerenbedrijven die het hoofd niet meer boven water kunnen houden door alle van huis weggelokte boerenzonen en -knechten.

Er klopt volgens Luther iets niet met het ideaal van "navolging" als het tot een vlucht leidt voor de verantwoordelijkheid voor gezin, huis, bedrijf, geld en bezit. Dáár moet het leven geleefd worden: niet in de kunstmatige setting van het klooster, maar te midden van huis en haard, arbeid en bezit, de zorg voor kinderen, kleding, voedsel en schone luiers.'

Beau viel hem in de rede. Ze ergerde zich aan de eenzijdigheid van zijn verhaal.

'Je bent wel erg negatief over de katholieke kerk. Ik heb altijd geleerd dat onze paters jezuïeten veel bijgedragen hebben aan de algemene ontwikkeling, zoals het onderwijs en de gezondheidszorg. Mijn moeder had een heeroom in de familie, pater Augustijn, die bepaald niet achterlijk was. Hij luisterde als eerste in de familie naar de radio.'

'Waar Luther zijn pijlen op richt is een buitenissig ideaal van religieuze volmaaktheid, onnodig sacrale taal, eenvormigheid en het wettische karakter van het monnikenleven. Het is al heel wat het gewone leven goed te leven. Als praktisch gezind hervormer neemt hij het op voor het dagelijks leven. Tegen deze achtergrond is zijn huwelijk met Catharina behalve een kanalisering van zijn levenslust ook een krachtig kerkpolitiek statement.'

Beau legde zich niet bij zijn antwoord neer.

'En wat is de actualiteit van dit alles is? Wat moeten wij ermee? Kunnen we het verleden niet laten rusten? Oude historische tegenstellingen? Eigenlijk kan die hele Luther mij gestolen worden. Maar ik studeer geen theologie in mijn vrije tijd.'

'En waaraan besteedt mevrouw haar vrije tijd?'

'Jongens...'

Vivian, die tot dusverre gezwegen had, zag zich genoodzaakt Beau en Soetaert tot de orde roepen om een nieuwe ronde van beschietingen te voorkomen. Hierop gooide Soetaert het over een andere boeg.

'Beau, jij bent een voorstander van vrijheid. Beschouw Luther als een vrijheidsstrijder. Hij wijdt zijn leven aan het stukbreken van een juk dat hij vreemd acht aan de zaak die hij wil dienen. Ik denk dat het niet te veel gezegd is dat de Europese geschiedenis mede door zijn theologie, Bijbelvertaling en persoonlijke inzet bepaald is. Verder zul je het met mij eens zijn dat geschiedenis een normaal vak is. Op het gebied van de kunst is het toch ook nuttig het heden tegen het licht te houden van ontwikkelingen in het verleden?

'Over het heden heb ik je anders nog niet gehoord.'

Beau was niet van plan haar oppositie te staken.

'Het heden? … Ik zou denken: de vrijheid is steeds weer in het geding en de eenvormigheid waartegen Luther ageert ligt nog altijd op de loer. Wij beroemen ons op onze vrijheid. Maar kijk eens naar het massale consumentengedrag, de files, de kuddegeest, de invloed van de reclame. Je ziet het al bij de leerlingen op school. De eenvormigheid straalt ervan af. Allemaal dezelfde lage broeken, strakke truitjes en merkschoenen. Aan de innerlijke vrijheid van Luther komen wij niet meer toe.'

'De eenvormigheid van het klooster laat zich toch niet vergelijken met die van nu? Tenzij je in de file staan opvat als dagelijks ochtend- en middaggebed.'

'Dat lijkt me een goede suggestie! Misschien zijn de interim-managers dan wel de ordebroeders van vandaag.'

Zo ging het gesprek nog een tijd over en weer, met bod over bod, het celibaat als rolmodel, Luther als mental coach en Catharina in de rol van prinses Máxima. De fantasie die eindelijk de caravan was binnengeslopen voorkwam dat het weekend in de Margriet eindigde in mineurstemming.

Vivian had zich verheugd op de terugreis, waarop ze met Floris alleen zou zijn. Na het afscheid van Beau liepen ze samen over de dijk terug naar de bushalte.

In de trein zou ze haar hoofd op Soetaerts schouder leggen en de weldaad van zijn ademhaling voelen, dicht bij de hare. Ze zou haar benen strekken en genieten van het mooie weer, het landschap en de lege zondagstrein.

Ze wilde Floris voorstellen niet uit te stappen in de stad, maar door te rijden naar zee, waar het zonlicht glinsterend uiteen zou breken op de dansende golven. Ze wilde op het strand zijn, de zilte lucht van het zeewater opsnuiven, de wind voelen waaien en over het water in de verte staren. Het spel van zon, wind en water zou hun goed doen.

Ze zouden gearmd langs de vloedlijn wandelen en aan het eind van de middag iets eten in een van de strandpaviljoens, *fruits de la mer* of gebakken sliptong, met een glas witte wijn erbij. Daarna zouden ze overleggen over een passend vervolg op hun weerzien.

9 | Labyrint

Avignon. Middeleeuwse pausenstad. Ze had de afgelopen dagen het oude centrum doorkruist met zijn stadsmuren, pleinen, klokkentorens, kerken, paleis en citadel. Vanmiddag zou ze een stuk langs de rivier wandelen.

De geschiedenis had flink huisgehouden in het stadje. Vooral in de 14^e eeuw, toen Avignon met de komst van de paus het administratieve hart van het christendom was geworden. Het religieuze hart was in Rome achtergebleven bij het graf van Petrus en Paulus. Een geestelijk hart liet zich niet transplanteren.

Bij haar aankomst in Avignon was het droog geweest. De zon had zelfs geschenen. Ze had daarom meegedaan aan een excursie, georganiseerd door het hotel, en een aantal wijndorpen in de omgeving bezocht. In de bus had ze naast Yves gezeten, een sympathieke Fransman met wapperende blonde haren en een verweerd gezicht. Hij logeerde in hetzelfde hotel. Bij het ontbijt hadden ze blikken uitgewisseld. Daarna waren ze aan de praat geraakt.

Châteauneuf-du-Pape was een van de reisdoelen, samen met Beaumes-de-Venise dat nog dichter bij de Mont Ventoux lag. Vanaf de burgwal in de stad waren de kale toppen van de Wachter van de Provence al goed te zien. Idema was telkens weer lyrisch geweest over de Mont Ventoux wanneer zij als gezin na een lange autorit 's zomers in Zuid-Frankrijk arriveerden. Hij had een paar keer een racefiets gehuurd om de berg te beklimmen. Zijn maag keerde zich om op de steile hellingen, maar hij zette door. Ze waren blij als hij weer terug was en zijn verhalen over een pijlsnelle afdaling geen kwaad meer konden.

Tijdens de excursie had ze een aantal wijnboeren gesproken, met dank aan haar goede Frans uit de tijd in Beiroet en aan Yves, die haar geholpen had een aantal vaktermen te begrijpen. Ze hadden verschillende wijnen geproefd uit de streek, kruidige Châteauneuf-du-Pape-wijnen met een verrukkelijke fruitsmaak en kenmerkende *touch* van versgemalen peper. In de buitenlucht, onder de strakke winterse hemel, had ze zich weer even gelukkig gevoeld. In de buurt van de Mont Ventoux, bij de klank van het zachte Frans en met Yves in de buurt had ze de geest van Idema om zich heen gevoeld.

De muskaatwijnen van Beaumes-de-Vinese waren, zo vlak bij hun oorsprong, ook bijzonder geweest om te proeven. Perzikachtig licht en zoet, had ze met Yves vastgesteld, maar ook fris en licht mousserend. Ze zou ze als dessertwijn aanbevelen, ter begeleiding van een nagerecht als crème brûlée. Daar was deze wijn precies zoet genoeg en niet te zwaar voor. Maar wie wachtte er nog op haar adviezen? Ze woonde niet meer op de ambassade, waar haar kennis op het gebied van wijn- en spijscombinaties, waarop ze zich had toegelegd in de loop van jaren, van pas was gekomen bij het organiseren van feestjes en partijen.

Als ze terugdacht aan de levendige tijd met Pieter rond de ambassade, al scheen die tijd haar een eeuwigheid geleden, kon ze niet anders dan erkennen dat haar leven sindsdien in de versukkeling was geraakt. Een van haar problemen was dat zich telkens weer nieuwe problemen voordeden. Ze had gedacht dat leed stil zou staan en zij er vandaan kon lopen. De werkelijkheid was anders. Leed had voeten. Het liep met je mee en leek op gras dat telkens weer aangroeit. Het leek op onkruid dat achter je rug alweer opschoot, terwijl je bezig was het voor je voeten weg te halen.

Ze keek op haar horloge en hijgde van de lange wandeling langs de boulevard. Haar regenpak voelde plakkerig aan. Ze had het warm. Ze zette koers naar het hotel en wilde graag voor het avondeten terug zijn.

In de hal van het hotel bekeek ze zichzelf in de bruine spiegelwand naast de lift, terwijl ze orde probeerde te scheppen in haar verwaaide haren. Gepijnigd dacht ze aan Floris. In hun toenadering van de afgelopen maanden leek het geluk eindelijk weer eens haar kant op te kijken. Voor het eerst sinds jaren had ze weer durven hopen. Na de teleurstelling in Rome was daarvan weinig overgebleven. Ze voelde zich steeds wanhopiger en werd gemangeld door een reeks kwellende vragen. Waarom had Floris niets van zich laten horen, met geen enkel briefje, telefoontje of sms'je? Hij was toch niet opgelost in het niets of van de aardbodem verdwenen?

Ze rukte zich los van de spiegel en stapte in de lift. Misschien wist Pieter waar Floris uithing? Tweelingbroers schijnen alles van elkaar te weten. Maar de situatie was netelig. Ze kon moeilijk Pieter opbellen en vragen of hij wist waar zijn broer was, die ze in Rome was misgelopen. Pieter wist niet beter dan dat zij in Amsterdam zat voor een paar weken, op bezoek bij haar moeder en uit logeren bij een vriendin. Ze zou ook contact op kunnen nemen met Vera, maar die had het waarschijnlijk te druk met zichzelf.

Ze duwde de zware liftdeur open, zwetend in haar regenpak. De deur gaf nauwelijks mee. De dranger was zo sterk afgesteld dat het wel leek of de hoteldirectie liever zag dat de gasten gebruik maakten van het trappenhuis.

Op haar kamer trok ze haar regenpak uit en plofte neer op bed. Soms vreesde ze het ergste: dat er iets gebeurd was met Floris zoals destijds met Idema. Het kon niet waar zijn dat hij dood was. Toch was ze er bang voor. Ze kende de dood inmiddels. Hij ging zijn eigen gang, brak overal in, werkte niet op volgorde en hield nergens rekening mee.

Bij de boulevard was ze, overvallen door een gevoel van woede, ineens laaiend geweest op Floris. Als hij niet dood is, ben ik het wel voor hem! In die trant had ze over hem gedacht. Dat hij niet naar Rome durfde komen, bang voor de gevolgen, omdat hij het tegenover Pieter niet kon maken, of omdat hij ervaring miste, was vergeeflijk. Op het gymnasium was hij al een twijfelaar. Maar helemaal niet komen opdagen en niets van je laten horen, was bizar! Ze was geen pop. Hij moest niet denken dat zij met zich liet sollen. Als zou blijken dat hij haar bewust had laten zitten, zou ze met genoegen de Romeinse *damnatio memoriae* toepassen en alle sporen van zijn bestaan uitwissen.

Maar waarom vreesde ze het ergste? Er kon ook een misverstand in het spel zijn. Misschien had ze zich in de datum vergist en wachtte Floris nu in Rome op haar.

Het was onwaarschijnlijk.

Ze moest stoppen met piekeren. Dan alleen zou ze de paniekaanvallen onder controle kunnen krijgen die haar weer achtervolgden en, net als vijf jaar geleden, op de meest onverwachte momenten als een mes door het doek heen staken.

Die avond at ze in de statige eetzaal met lange rode gordijnen en kristallen lampen aan het plafond. Na het eten ging ze terug naar haar kamer, ondanks de smeekbede van Yves om nog wat te drinken bij de bar.

Liggend op bed probeerde ze zich de dag in herinnering te roepen. 's Ochtends was ze in Musée Angladon geweest, waar het gezelschap van Cézanne, Picasso en Modigliani haar goed had gedaan. Na het museum had ze de blauwwitte rondvaartboot genomen die ze al een paar keer voorbij had zien varen op de rivier, hoewel het stortregende als op een Japanse prent. De boottocht voerde langs de brug van Avignon, die ooit meer dan 900 meter lang was en tweeëntwintig bogen telde. Er waren er slechts vier van over.

Saint Bénézet, de kleine Benedictus, een herdersknecht naar wie de brug vernoemd was, bouwde volgens de legende de brug, die lange tijd de enige oversteekplaats was voor reizigers op weg naar het zuiden. Daarbij had hij de aanwijzingen van een engel gevolgd. Het was een bijzondere brug, de Pont Saint Bénézet. Een brug die geen brug was omdat hij niets overbrugde, maar toch door iedereen zo werd genoemd.

Ze staarde naar het plafond. In het midden kwamen de lijnen samen in een buikig rozet van gestuukt gips.

Ze stond op om een glas water te pakken in de kleine doucheruimte en zette zich achter het kleine houten bureau dat haar kamer rijk was. Even later zat ze over haar aantekeningen gebogen.

Ze herinnerde zich een gesprek met haar vader. Het moest een van de laatste keren geweest zijn, tijdens het bezoek van haar ouders in New York. Idema zat op het leren bankstel, zij schuin tegenover hem in de gebloemde fauteuil. Ze wist niet meer wat de aanleiding was, maar hij sommeerde haar op een gegeven moment met gesloten ogen aan een antieke vaas te denken, aan een Griekse amfora die was stukgebroken bij een aardbeving, tijdens een oorlog of door pure onhandigheid. Na eeuwen – daar ging het hem om – was het enige wat van zo'n vaas werd teruggevonden een scherf of aantal scherven.

'Als het meezit,' had hij gezegd, 'kunnen wij ons aan de hand daarvan een beeld vormen van de oorspronkelijke vaas. In veel musea wordt met behulp van steunmateriaal – visdraad, gips, klei en dergelijke – voor de bezoekers de kloof tussen scherf en beeld overbrugd. Ik zou dat aan de verbeelding over willen laten, waarvan de kracht niet te onderschatten is!'

Daarop volgde de toepassing. Idema hield, zei hij, als kritisch theoloog niet van steunmateriaal, hulpconstructies en voorgebakken vormen, waarmee mensen de goddelijkheid van God meenden te kunnen reconstrueren.

'Het volmaakte beeld,' luidde zijn conclusie, 'valt niet te reconstrueren. Het volmaakte beeld dragen wij zelf, bij het verval van alle uiterlijke schoonheid, met ons mee in ons hart.'

Hij reageerde gepikeerd, maar daarna met een daverende lach toen ze hem vroeg of zijn betoog ook van toepassing was op haar moeder. Idema was van de bank gesprongen om zijn plezier over haar gevatheid met zijn vrouw te delen. Ze wist dat hij haar daarbij opdringerig om de hals zou vallen en haar moeder dit vervelend vond. Zo had ze het niet bedoeld.

Ze sloot haar schrift en haalde haar schetsmap voor de dag. Met potlood tekende ze van een reisfolder de brug van Avignon na. Het bouwwerk fascineerde haar. De brug omsloot halverwege een kapel die gewijd was aan de heilige Nicolaas, patroon van de scheepslui. Onder deze ruimte bevond zich, uitgespaard in de pijlers van de brug, een tweede kapel, gewijd aan Saint Bénézet. Vanaf het water vormden beide kapellen een fascinerende stenen dubbeldekker.

Na de rondvaart had ze de brug bezocht, benieuwd naar zijn geheimen. Ze was er ooit eerder geweest, maar kon zich daar niets van herinneren. De entree werd gevormd door een toegangstoren in de vorm van een verstevigd poortgebouw. Na een ophaalbrug begon de eigenlijke brug, die belegd was met dezelfde kiezelstenen als de wijngaarden rond Avignon.

De Nicolaaskapel nam van opzij een flinke hap in het brugdek. Halverwege was de doorgang nog maar anderhalve meter. Door de ijzeren hekken was ze de kapel ingelopen. Behalve een gotische apsis viel er weinig te zien. Het massieve altaarblok in de apsis had ze geassocieerd met het scheepsvolk, dat er bij tij en ontij de vastheid van het sacrament in terug moest hebben gezien.

De benedenkapel liep onder de breedte van de brug door. De zuidwestkant was open en zag uit over het water. De zon en de wind hadden er vrij spel. Ze had zich thuis gevoeld bij de kleine Benedictus. Uitkijkend over het water had ze in zijn kapel, net als tussen de wijnstokken, de nabijheid van Idema gevoeld. Alsof de gesprekken die zij gevoerd hadden als vader en dochter en via zijn boeken bij het zachte fluisteren van de rivier op hun plaats vielen.

De brug van Avignon dwong zijn bezoekers door de versmalling bij zijn kapellen bijna tot bezinning. Maar in dwang geloofde ze niet. Ze hield juist van de openheid van haar kapel zonder priester en kerkruimte zonder deuren. Was het niet altijd goed één zijde van het bestaan open te houden?

Na haar bezoek aan de kapellen was ze doorgelopen naar het einde van de brug, waar het wegdek abrupt afbrak in de diepte. Een smalle reling scheidde de bezoekers van het water beneden. Met haar hand boven haar ogen had ze een tijdlang over het water getuurd. Ze was in de war toen ze uit Rome vertrok. De onrust in haar hoofd was nog niet weg, ondanks een paar betere dagen. Overdag was er de afleiding van de stad, maar 's avonds en 's nachts tuimelden de flarden, emoties en herinneringen door elkaar en over elkaar heen als bij een nest jonge honden.

Ze verschoof haar stoel achter haar bureau. Wat deed ze precies in Avignon? Intuïtief zocht ze naar een uitweg uit het labyrint waarin ze verzeild was geraakt, een logisch en bevredigend einde. Waar was dat te vinden? Ze had de open zijde in de benauwde ruimte van haar gedachten nog niet kunnen vinden.

De misgelopen ontmoeting met Floris had veel in de war geschopt en tot een inflatie van haar zelfvertrouwen geleid. Vaag had ze gehoopt dat hij haar achterna zou reizen. Bij aankomst in Avignon had ze haar adres aan het hotel in Rome doorgegeven en in de hoop op een romantische af-loop een tweepersoonskamer geboekt. Het had niet gebaat, maar slechts bijgedragen aan het sombere treurspel dat ze opvoerde.

Toen ze van de brug terug was gelopen de stad in, langs het pauselijke paleis, was ze halverwege op een bankje gaan zitten. Het tolde in haar hoofd. Al te goed herkende ze in haar angstaanval van het moment haar onrust van jaren geleden. Zwijgend was ze blijven zitten, geconcentreerd op haar ademhaling, totdat de herinnering aan vroeger haar opbeurde. Op deze plek was ze met Vera en haar ouders ge-weest. Ze herinnerde zich de hitte en azuurblauwe luchten, het enthousiasme van Idema en de stille correcties van haar moeder om het programma en de kosten binnen de perken te houden. De stad was vol acteurs geweest, jongleurs, musici en straatmuzikanten. In augustus was Avignon hun stad.

Met nieuwe moed had ze daarna haar wandeling langs de rivier gemaakt.

Nu voelde ze voornamelijk berusting. Het liefst wond ze zich nergens meer over op. Waarom zou ze achter Floris aanlopen? Waarom de degens met Jonathan kruisen? Over Idema blijven malen? Jaloers zijn op Vera?

Ze had het benauwd en opende een bovenraam. Daarna ging ze op bed liggen. Ze voelde zich gespannen, ondanks haar berusting. Het kwam ook door het hotel. Ze dacht er goed aan te hebben gedaan een hotelkamer te boeken aan het Place de 'l Horloge, aan de rand van het Quartier de la Balance, in een statig pand uit de 19e eeuw met brede trappen, hoge vensters, een restaurant en een rij statige platanen voor de deur. Zelfs in het winterlicht lag het pand er aantrekkelijk bij. Ze was niet ontevreden over haar kamer, die onberispelijk was ingericht met een breed bed, lange grijze gordijnen, een secretaire, tv, zitje en een stel schemerlampen. De badkamer was krap, maar doelmatig. Wat ontbrak was de rust.

De laatste tijd had ze zoveel geschreven dat zinnen uit verschillende manuscripten door elkaar heen liepen in haar hoofd. Het werd tijd om rustiger aan te doen. Ze had zich voorgenomen voortaan om tien uur 's avonds haar laptop af te sluiten. Maar vaak kwam juist dan de muze op haar schouder zitten. Als ze vervolgens doorwerkte tot na middernacht en daardoor nauwelijks sliep van opwinding, schreef haar geest de rest van de nacht luchtteksten en kon ze de volgende dag weer opnieuw beginnen.

Het stadsblok waar het hotel deel van uitmaakte stond ingeklemd tussen twee drukke en lawaaierige verkeersstraten. Ook bij de restaurants was het onrustig en in de ochtend gingen de straatvegers met hun schrapende blikken al om zeven uur de straat op. Het carillon van het Hôtel de Ville, de nabijgelegen brandweerkazerne en de leveranciers aan de restaurants met hun ronkende vrachtwagens completeerden de herriebatterij.

Ze probeerde aan iets anders te denken en tilde haar hoofd op om te voelen of de bult op haar achterhoofd er nog zat die ze gisteravond had opgelopen in de doucheruimte. Eén keer eerder was ze uitgegleden onder de douche, toen ze met Pieter in Brno was. Net als bij haar Tsjechische zeperd was haast de oorzaak van haar glijpartij. Ze had zich nog snel willen douchen voor het avondeten, de kraan opengezet en zich ingezeept. Toen ze vervolgens de douchekop inschakelde en hem blindelings, vanwege de uitlopende shampoo, aan de haak op de achterwand wilde bevestigen, herinnerde ze zich dat de haak was afgebroken. Toen ze zich hierop omdraaide, schichtig als een beginnende balletdanseres, was ze onderuit gegleden op de gladde tegels. Daarbij was ze hard met haar knie tegen de ene en haar achterhoofd tegen de andere douchewand gevallen. Als een dubbelgevouwen sandwich was ze blijven liggen. Ineens liepen de tranen over haar wangen. Verdriet vond kennelijk toch de weg naar buiten via lichamelijke pijn, als de eenheid van geest en lichaam hersteld werd, die de westerse mens had leren scheiden.

De bult op haar hoofd was verdwenen. Ze staarde naar het plafond en herinnerde zich een voorval in Zweden. Later had ze er met Pieter hartelijk om gelachen. Ze waren uit zwemmen geweest in een groot bad aan de rand van

Stockholm. Het zwembad had naar goed Scandinavisch gebruik een grote doucheruimte annex sauna. Naast een aantal houten kledingvakken aan de muur hing een bordje in het Zweeds en Engels met het verzoek alle zwemkleding uit te trekken onder de douche en in de sauna. Hoewel ze niet preuts was, vloekte dit met haar opvoeding, al was daar een scheut Indonesische vrijheid door gemengd. Schuw als een bosnimf had ze geprobeerd zo onopgemerkt mogelijk haar topje en slipje uit te trekken en in de rekken te leggen, nadat ze daarvóór met deze bescheiden versierselen nog aan het lijf door boze Zweedse vrouwenogen uit de sauna was teruggekeken.

Moedig was ze daarna de saunaruimte ingestapt. Doordat ze niet wist waar de rubberen zitmatjes lagen had ze vrijwel onmiddellijk haar billen gebrand aan de gloeiende houten zitting. Het was verstikkend warm in de sauna. Dat bleef zo, want telkens nestelde zich een nieuwe Zweedse op de hoogste verdieping van de cabine om met een brede armzwaai een hoeveelheid water op het verwarmingselement te werpen, een kunst op zich. Sommige vrouwen liepen zelfs met hun eigen emmertje rond, om er een wedstrijd van te maken. Ze had gedacht dat ze levend gestoomd werd, maar had zich niet laten kennen. Pas toen het zweet over haar rug gutste en van haar borsten droop, ook haar armen en benen zweetten en haar hoofd als een rode biet op haar romp stond, verliet ze de snikhete sauna. Fier rechtop.

Er restten haar nog twee dagen in Avignon nu het gelukt was bij het reisbureau in de Rue de la Réplubique een vlucht te boeken die haar via Marseille terug zou brengen naar New York. Na het kopen van haar ticket was ze teruggewandeld naar de oude binnenstad. In een bistro op het autovrije Place de la Principale had ze een kop koffie besteld. Het tochtte op de plek waar ze zat. Daarom hield ze haar jas aan. Ze keek voor zich uit naar buiten, streek over het blauwe mapje met haar vliegticket op tafel en dacht terug aan de vorige avond. Bijna was alles op de valreep nog anders gelopen. Ze nam een slok van haar koffie. Haar lippenstift liet een rode afdruk achter op het porselein.

Tot haar verrassing was ze 's avonds laat in het hotel Yves tegen het lijf gelopen toen ze nog iets wilde drinken in de bar. Het was zijn laatste dag in Avignon. Ze hadden herinneringen opgehaald aan hun excursie en Yves had haar een aantal bijzonderheden over Avignon verteld die ze nog niet wist.

'Iedereen heeft het over dansen *op* de brug van Avignon. Maar je hebt het zelf gezien: daar is nauwelijks ruimte voor. Het brugdek is vier, hooguit vijf meter breed. Eigenlijk had in het liedje geen *sur*, maar *sous* le pont moeten staan. Onder de brug was ruimte te over om te dansen, bij de herberg op het Île de la Barthelasse, aan de voet van de kleine bruggenbogen. Ruimte om te dansen op de brug is er niet. Er is altijd meer energie gestoken in zijn lengte, tot aan de donjon van Villeneuve-lès-Avignon, dan in zijn breedte.'

Ze genoot van zijn mooie, ritmische Frans en onderbrak hem niet, hoewel ze zich afvroeg waarom hij haar dit allemaal vertelde. Ze had haar eigen gedachten over boven en beneden. In Rome had ze de catacomben bezocht, de schuilplaats van de eerste christenen. Onder de grond had ze hun sarcofagen gezien, netjes opgestapeld en geordend als stoffige bielzen, en de in de rotswand gegraveerde ankers, duiven en lammetjes als symbool van hoop, zoals de gids had uitgelegd.

Yves was blij met haar aanwezigheid en schoof steeds een stukje verder in haar richting, totdat zijn knieën haar bovenbenen raakten. Ze hoefde niet te raden naar zijn bedoelingen, maar had niet de kracht zich te verzetten. Ze probeerde te ontspannen en te genieten van de muziek, het Frans, de alcohol en de aandacht die Yves haar schonk. Hij was niet onaantrekkelijk, slank en van haar leeftijd.

Na middernacht hadden ze zolang gepraat dat ze zich niet verbaasde over zijn vraag of ze zin had om op zijn kamer nog iets te drinken. Zwijgend was ze hem gevolgd, in een roes. Op zijn hotelkamer had ze gedaan alsof ze thuis was en haar schoenen uitgetrokken. Het had Yves aangemoedigd fluwelen Franse zinnetjes in haar oor te fluisteren met een hoog amour-gehalte, haar knieën vast te houden en ten slotte haar te omhelzen en te kussen. Ze liet hem begaan en genoot van de opwinding die zijn aanrakingen haar bezorgde. Was dit niet wat ze in Rome had gezocht?

Yves was een bedreven minnaar. Binnen de kortste keren lagen ze zij aan zij op het hotelbed. Haar hoofd tolde van vermoeidheid en opwinding. Yves klemde van achteren zijn handen om haar billen. Plotseling leek hij haast te krijgen. Hij trok haar blouse uit haar spijkerbroek en gleed met zijn hand over haar rug, op zoek naar de sluiting van haar bh. Ze had gerild bij zijn aanraking, zonder zich te verzetten. Ze wist niet hoever ze met hem wilde gaan. Verdoofd, half genietend en half afwerend volgde ze met gesloten ogen en strakgespannen huid zijn bewegingen. Pas toen de elastiekband van haar bh lossprong en haar borsten onthulde, besefte ze door de roes van de alcohol en de bedwelming van oeroude lichaamstaal heen wat er gaande was. Ze schoot overeind, plotseling in paniek. Op de grens van het beloofde land zag ze ineens het gezicht van Pieter voor zich. Of

was het Floris? Ze wist het niet. Ook dat nog! Haar onzekerheid over de identiteit van de tweeling verdubbelde haar
verwarring in de vreemde hotelkamer. Het was een wonder
dat ze desondanks, geholpen door haar instinct, in actie
kwam. Ze stapte het bed af, omklemde met één hand haar
borsten en griste met haar andere hand haar schoenen van
de vloer. Van opzij keek ze verontschuldigend naar Yves,
met een vertekende grimas, opende de deur en vluchtte de
gang op. Gelukkig had ze aan de goede kant van het matras
gelegen, dichtbij de deur. Foutje van Yves.

Ze bedaarde pas toen ze de deur van haar hotelkamer
achter zich dicht had getrokken en op de grond tegen de
deur zat, in de hoop dat Yves haar niet zou volgen. Langzaam was haar opwinding gezakt. Ze had gedaan wat ze
moest doen: Yves van zich afhouden. Op het nippertje had
ze een nieuwe nederlaag tegen zichzelf voorkomen.

Ze speelde met haar koffiekopje en keek naar buiten
over het plein. Het waaide flink. De wind begon de stad in
zijn greep te krijgen.

Ze had haar vertrek uit Avignon geregeld om naar huis
terug te gaan, maar vroeg zich af of ze ooit ergens thuis
was geweest. Overal en nergens had ze gewoond, in haar
jeugd al, nu hier dan daar, altijd voor even, om daarna weer
te vertrekken. Rond de ambassade was dit niet anders geweest. De verhuisdozen werden niet weggegooid, maar in
de kelder opgeslagen. In Beiroet hadden ze zelfs twee keer
moeten verhuizen, toen de grens van archeologische op-
gravingen verder bleek te lopen dan gedacht. De archeologen moesten ook onder hun woning zijn. Dus was er een
probleem. Uiteindelijk hadden ze, na het nodige getouw-
trek, als kansloze buitenlanders hun huis moeten verlaten.
Daaronder bleek zich later een oud koningsgraf te bevin-

den, dat deels nog intact was. Zonder het te weten hadden Pieter en zij in hun onschuld twee jaar lang boven een graf gewoond. Boven de dood, stof en vergankelijkheid! De archeologen en de kranten waren enthousiast, hun leven werd verstoord. Terwijl ze nog wachtten op een vervangende woning, had ze met eigen ogen mogen aanschouwen hoe heel de beplanting van de tuin, die haar maanden werk gekost had, alle struiken, heesters, planten en kruiden, binnen een half uur in de container lag, omdat de archeologen – Libanese macho's die er duidelijk lol in hadden – 'alvast wilden beginnen.'

Die ellendige verhuisboxen! Ze wilde ze nooit meer in huis hebben. Als ze ooit nog een echt huis zou betrekken, zou ze willen dat zich onder haar voeten een wijnkelder uitstrekte als belofte van gestage rijping en duurzaam genot. Want hoe lang hield je het vol: een los–vast bestaan, met steeds opnieuw het pijnlijke moment van afscheid nemen en uit de grond getrokken worden, losgescheurd en losgeknipt als de planten in haar Libanese tuin?

Misschien was er bij al die verhuizingen ook iets van haarzelf losgescheurd en werd je van verhuizen steeds kleiner. Misschien was haar hart steeds kleiner geworden; was er telkens een fragment van haarzelf achtergebleven op de plaatsen van weleer, aanvankelijk gekoesterd en bemind – we houden contact! – maar allengs verwaarloosd en vergeten.

Ze was weer teruggekeerd naar het hotel. Het waaide buiten nu nog harder dan rond het middaguur, toen ze de burgwal nog een keer beklommen had. Vanuit de hoogte had ze gekeken naar de golfslag op de rivier die een dapper kanoklasje in de buurt van de brug de nodige moeite bezorgde. Toen ze verder de diepte in had gekeken, naar de bocht in de rivier ter hoogte van de brug, had ze een ontdekking gedaan. Plotseling zag ze, terwijl haar hart sneller begon te kloppen, wat ze nog niet eerder gezien had: hoe de kromming in de rivier en de brug van Avignon samen een bijzondere vorm hadden. Samen vormden ze een reusachtige boog, sterk als de kruisboog van Odysseus. De boog die hem terugbracht op de troon! Als dit de boog van Odysseus was, lag bij de brug de oplossing.

Ze probeerde zich af te sluiten voor de rukwinden buiten en besefte maar half dat ze dagdroomde. Liggend op bed zag ze flarden voor zich van de schipbreuk van Odysseus, van Aeneas' strijd tegen de elementen en van de stormwind die Idema noodlottig werd. Ze voelde zich slecht op haar gemak en had het warm. Moest ze niet naar buiten met dit vechtweer?

Ze dacht aan Dido, die met een hart vol liefdesverdriet op de kust van Afrika was achtergebleven na het abrupte vertrek van Aeneas. Ze kon niet aanzien dat hij van haar wegvoer en maakte een brandstapel van haar huisraad. Iris herkende zich in haar. Ze had al haar kaarten op Floris gezet. Maar ook haar hoop was in vlammen opgegaan.

Ze kwam overeind en ging in kleermakerszit op bed zitten. Moest ze niet net als Dido iets doen, een daad stellen, een teken achterlaten? Aeneas weende bittere tranen toen hij vanaf het hoge dek van zijn schip Dido in rook zag opgaan. Zo had hij het niet bedoeld. Moest zij Floris niet straffen met dergelijke wroeging?

Ze zag voor zich hoe ze op bed zat met heel de papierwinkel waar haar bureau vol mee lag om zich heen verzameld, vervolgens hoe ze een fles cognac uitsprenkelde en half leegdronk – haar galgendrank – om daarna de boel in de fik te steken. *Amerikaanse in vlammen opgegaan.* Ze zag de krantenkoppen voor zich. Totdat ze zich realiseerde dat de kranten over zoiets zwegen en ze van een beetje cognac geen vlam zou vatten.

Ze had het benauwd en wilde naar buiten. Had ze op de citadel geen teken ontvangen? Ze stond op, wrong haar voeten in haar winterlaarzen en pakte haar jas. Even later stond ze bij de receptie. Ze lette niet op de bezorgde blik van de receptionist toen ze fier haar sleutelkaart op de balie legde en naar buiten stapte, de stormwind in. Voor de ingang van het hotel werd ze bijna onmiddellijk omver geblazen. Geschrokken zocht ze beschutting tegen de muur.

Gelukkig kende ze plattegrond van Avignon uit haar hoofd, zo vaak had ze de binnenstad doorkruist. Ze zou het Place de l'Horloge en het plein voor het paleis, waar de wind vrij spel had, mijden en de oude straatjes nemen door het Quartier de la Balance op weg naar haar bestemming: de Pont Saint Bénézet. Daar moest ze zijn. Ze voelde het. Bij de brug. Daar lag de oplossing, de uitweg uit het labyrint, al wist ze niet hoe.

De huizenblokken van de Rue Saint Etíenne stonden haaks op de wind en zorgden voor luwte. Als ze zo rechtsaf zou slaan, de Rue de la Grande Fusterie in, die bijna tot aan de voet van de brug leidde, zou de wind weer pal tegen zijn, net als in de Rue Racine. De brug zelf lag noordwestelijk, schuin in de wind.

Het was leeg op straat. Ze was pas twee auto's tegengekomen en een pizzakoerier. De meeste mensen zaten binnen, al was moeilijk te zeggen of de oude stadspanden waar ze langsliep woningen of kantoren bevatten. Waarschijnlijk allebei.

Na een klein half uur naderde ze de stadsmuren en de kades van de Rhône. Schuifelend tegen de felle wind in overbrugde ze het laatste stuk naar de brug. De windvlagen teisterden het water, dat kolkend langs de kade stroomde. De Mistral was een wind om rekening mee te houden, in de zomer, maar ook in de winter, als hij dagenlang vanaf het Centraal Massief door het Rhônedal kon jagen.

Gelukkig was de toegang tot de brug open, al was er niemand te zien en begon het schemerachtig te worden. Ze was hier moederziel alleen.

Bij de brug lag de oplossing. Daarvan was ze overtuigd met een helderheid die verder reikte dan het effect van de wijn die ze op haar hotelkamer nog gedronken had. Er werd iets van haar gevraagd. Een offer. Ze was bereid alle ballast en alle trossen die haar leven zwaar gemaakt hadden af te leggen, lasten van buitenaf en lasten die ze zichzelf had opgelegd. Haar zoektocht had haar bij de brug van Avignon gebracht. Die zou haar met haar kind herenigen. Maar hoe? Hoe kon de boog van Odysseus haar helpen?

Ze moest opschieten. Het werd al donker. Gehaast liep ze het poortgebouw door, de brug op. Ze moest zich krommen om niet weggeblazen te worden en snelde op goed geluk naar de luwte van de kapel halverwege. Daar hield ze hijgend stil, bukte zich en dacht na. Wat moest ze doen?

Ineens begreep ze het. Ze moest vaart maken en rennend de laatste etappe afleggen, schuin tegen de wind in. Vanaf de kapel van Sint Nicolaas was de afstand minder dan tachtig meter. Ze keek om zich heen naar het water en over de gemetselde reling naar de kleine Benedictus, in de hoop dat hij voor haar zou duimen zodra ze zijn kapel zou oversteken op haar pelgrimstocht naar het einde van de brug.

Het was nu bijna donker. Ze spitste haar oren en luisterde. Toen de wind even afzwakte, maakte ze zich klaar voor de beslissende run. Ze had de opdracht begrepen. Dit was de boog van Odysseus. De pijl, dat was zijzelf.

Ze stak de kapel voorbij, hurkte en maakte zich klaar voor de laatste etappe. Op een gunstig moment zou ze overeind komen en de laatste 70 meter afleggen die haar scheidden van het einde van haar ballingschap. Aan het eind van de brug hoefde ze alleen maar te springen, de ijle lucht in, de vrijheid, het water. Daarna zou ze haar kind terugvinden, in het donkere water van de zachte dood het eindelijk omarmen.

Amor omnia vincit

'Elke schaduw is in diepste wezen
toch ook een kind van het licht.'

Lieve Iris,

Morgen kan ik niet komen. Ik vlieg vanavond nog naar Chicago. Daarom schrijf ik je.

Gisteravond sprak je niet veel. Het geeft niet. Soms rijd ik alleen maar naar New Jersey om je voor te lezen, uit Dostojevki, Sandor Marai of de brieven van Bonhoeffer die je van je vader kreeg. Dan zie ik de glans in je ogen terugkeren, als je geest de woorden opvangt. Maar je mag je voorlopig niet druk maken.

Vera belt bijna elke dag. Je krijgt de groeten van haar. Ik heb haar gezegd dat het langzaam vooruit gaat.

Het kostte je anderhalve maand om je spraak terug te vinden. Nu reageer je weer en praat, zij het nog niet veel.

Gisteren lachte je voor het eerst. Het ontroerde mij. Op de terugweg in de auto kwamen ineens de tranen.

Volgende week spreek ik François, de kanoleraar. Hij zag je in het donker de brug afzweven in je witte jas. De wind blies je terug. Daardoor brak je je been op twee plaatsen en verloor je je bewustzijn. François heeft je gered.

De laatste weken was je al afwezig, zonder dat ik wist waarom. Het is mijn blindheid dat ik niet gezien heb hoe je eraan toe was. Ik zag niet dat je ziek was van verdriet en teleurstelling.

Maar ook ik ben gevlucht. Ik wil de schijn niet ophouden. Ik heb je alleen gelaten. Misschien ben ik je liefde niet meer waard. Toch zou ik niets liever willen dan samen met jou verder te gaan. Op het gymnasium was jij mijn verovering. Zo voelt het nog steeds.

En Floris? Ik vrees dat hier nog het nodige werk ligt voor de artsen. Ik hoop dat je spoedig het trompe-l'oeil doorziet dat je zelf gecreëerd hebt. Als je dit hoofdstuk weet af te sluiten, zal dat je genezing bevorderen. Misschien maken we daarna samen wel een reis, wie weet!

Wat vind je van de aanhef van Stephan Zweig? Een zo'n zin zegt meer dan ik je in duizend woorden zeggen kan.

Pieter

Verantwoording

Naast het raadplegen van primaire bronnen uit zowel de
oudheid als de moderne tijd en van talloze websites, zou
deze roman niet mogelijk zijn geweest zonder de navolgende studies:

A. Heubeck, *A Commentary on Homer's Odyssey*, 1990² (1988). Alan
J.B. Wace and Frank H. Stubbings (ed.), *A Companion to Homer*, 1970⁴
(1962). Ward W. Briggs (ed.) *Ancient Greek Authors*, Dictionary of
Literary Biography Vol. 176, 1997. B. Otis, *Virgil. A Study in civilized
poetry*, Oxford 1963. Imme Dros, *De macht van de liefde* en *Reis naar
de liefde. De mythe van het gulden vlies*, Amsterdam/Antwerpen 1999.
K. Galinsky, Ovid's Poetology in the Metamorphoses, 1997 (internet).
Milan Kundera, *De ondraaglijke lichtheid van het bestaan*, roman.
Oepke Noordmans, *Herschepping*, Kampen 1979 (1934). B. Russell,
Geschiedenis van de westerse filosofie, 1993¹⁶. Suzi Gablik, *Magritte*,
London 1985. Albert Camus, *De mens in opstand* [L'Homme Révolté].
H. Achterhuis, *Camus. De moed om mens te zijn*, Utrecht 1969.
G. Verrips, *Albert Camus. Een leven tegen de leugen*, Amsterdam 1997.
K. Lynch, *Adventures on the wine route*, New York 1988.

De gedachte 'een kristal, een heelal' op pag. 34 werd ontleend aan een gedicht van Ida Gerhardt. De verhalen in hoofdstuk 5 berusten op fantasie, rond een kern van historische waarheid.

Ten slotte geldt van deze ideeënroman als literaire fictie dat iedere gelijkenis met de werkelijkheid van personages en voorvallen erin genoemd, berust op toeval.

Inhoud